JN121414

ダヴィッド・ラプジャード

ちいさな生存の美学

堀千晶訳

凡例

「　」　原文における引用符 « » を示す。
（　）　原文における丸括弧を示す。ただし、原語を示すためにも使用する。
『　』　原文における書名を示す。
《　》　原文において大文字ではじまる単語を示す。また、美術作品の題名を示す。
傍点　原文におけるイタリック強調を示す。
［　］　原著者ラプジャードによる補足を示す。
〔　〕　訳者による補足を示す。
〈　〉　言葉の区切りを明確にするために訳者が使用する。

スーリオの著作からの引用には以下の略号をもちいる。

- AA : 『魂をもつこと——潜在的リアリティについての試論』 *Avoir une âme – essai sur les réalités virtuelles*, Belles-Lettres/Annales de l'université de Lyon, 1938.
- DME : 『さまざまな実存様式』 *Les Différents modes d'existence*, PUF, 1943 ; rééd. 2009, coll. «MétaphysiqueS».
- IP : 『哲学の創建』 *L'Instauration philosophique*, PUF, 1939.
- OD : 『神の影』 *L'Ombre de Dieu*, PUF, 1955.

ちいさな生存の美学　もくじ

ちいさな生存の美学

1　よけいなモナド？

わたしたちがいるのは一九三〇年二月二十一日。帽子をかぶり、細いフレームの眼鏡を鼻先にのせたフェルナンド・ペソアは、多くの異名をもちいる男で、いつものようにリスボンの街を散歩している。疲労と倦怠をいつもどおり味わう。外の世界から遊離している気がして、じぶんが生きていることがむなしいように感じる。一般的な観点からすると、じぶんの人格には「形而上学的なあやまち」があるようにおもえるのだ。[1] よけいなモナドとして生きているといってもいいかもしれない。ご存知のようにライプニッツの体系において、モナドには扉も窓もない。モナドが外の世界に開かれている必要がまったくないのは、この世界は、多種多様でありながら秩序立った知覚というかたちで、モナドのなかに包みこまれているからだ。それにたいして、ペソアの抱える問題すべてがどこにあるかといえば、かれは知覚を有しているにもかかわらず、その知覚が外の世界のリアリティや、じぶん自身の存在のリアリティを感じさせてくれないということだ。現実（リアリティ）が外にあるというよりむしろ、かれ自身があらゆる現実の外にいるのである。かれはモナドのようなものなのだが、ただし扉と窓のうしろに幽閉されている世界なきモナドなのだ。

「生とわたしのあいだには薄いガラスが張られていて、生をはっきり目の当たりにして理解することができたとしても、わたしは生にふれることができない」[2]。かれはいわば、生きる可能性を奪われているのだが、それにもかかわらず、生きることの重みに耐えなければならない。ここに「形而上学的なあやまち」があるのは、リアルな世界とのつながりをもたない、この漂流する夢見がちで活動的でないモナドに、神の創造した世界がいかなる場所もあたえなかったからなのだ。だが散歩を続けるのをやめて、かれは橋の真ん中で立ちどまる。

ふいに魔法のような運命がやって来て、かねてからのわたしの失明状態に手術を施し、その効果がたちまちあらわれたかのようだった。匿名の実存だったわたしは顔をあげ、じぶんがどんなふうに実存しているかをはっきり認識した（……）。ほんとうにじぶんが実存していること、魂が現実の存在であることをはっきり感じるとき、どういう感覚を味わうのか説明するのはすごくむずかしくて、人間の言葉でどう定義していいかわからないほどだ。長いことわたしはじぶん自身にとって他人だった――生まれてからずっと、もの心がついてからずっと。そして今日、橋の真ん中で、河に向かって身をかしげながらわたしは目醒めたのだ。いままでよりたしかなしかたで存在していると悟ることによって。けれども街はよそよそしいし、通りにも馴染めないままだ。この病を治癒する薬はない。だから橋に身をもたせかけながら待つのだ。真理がわたしのもとを去り、空虚で虚構に満ちたじぶん、知的な生来のじぶんにふたたび戻ることができるのを。こんな状態はほんの一瞬しか続かず、もう過去のことになった[3]。

なにが起こったのだろうか。とつぜんペソアというモナドは、リアルに実存しているという感情に呑みこまれた。ふたたび世界のなかに包みこまれ、積みこまれたかのようだ。「お清めの瞬間みたいにじぶんが何者かを一息に悟ること、それはうちに秘めたモナドを、魂の語る魔法の言葉をふいに理解することだ」。けれども、すぐさまかれはかつての確信に舞い戻る。かれにはよくわかっているのだ、この特別な瞬間以上のたしかさでじぶんは実存していないし、いままで実存したこともなかったし、これから実存することもないだろう、と。生きていることが無意味で、現実味を欠いたものにふたたびおもえてくる。考えることが考えるひとに実存を保証してくれるデカルトとはちがって、むしろ、考えることはじぶんが実存していないこと、実存できないことを確証させるのだ。「わたしはじぶんの過去のありかたすべてに狼狽した。じぶんでもよくわかっているつもりだが、じつはわたしは存在していないのだ」[4]。じぶんは実存していないと主張する人びとが反駁されやすい点が、ここに顕著にあらわれている。なんにせよじぶんに問いかける者としてそこにいるのだからもう実存しているのであって、偽の問題に嵌まりこんでいるにすぎない。難なく実存しているのに、実存への入口を探しているなんて、というわけだ。問題のうわべ上の背理はつぎの点にある——実存しているという現実(リアリティ)をどうして疑うことができようか、この現実を疑うためにこの世界のなかにすでに存在しているというのに。けれどもこうした反論は、実存とリアリティというふたつの概念を混同しているにすぎない。ある面からすれば、この男はじっさいに実存し、所与の時空間を占め、さまざまな事物に囲まれ、橋のうえで通行人たちとすれちがい、無数の印象をとりまとめ、いくつもの考えがかれの心を横切っていく。だが、こうしたことのどれを取ってみても、ほんとうにリアルなわけではない。存在たち、事物たちはたしかに実存しているが、リアリティを欠いているのだ。リアリティを「欠いている」というのは、どういう意味なのだろうか。実存がいっそうリアルであるためには、なにが欠けているのだろうか。

これにたいして力、広がり、存立性を増大させるという意味で、実存が「いっそう」リアルになることもあるのではないか。たとえば愛情が高まったり、痛みがつよくなったり、嵐が近づいてきたりするように。あるいは計画が実現されたり、建物が建ったり、シナリオがスクリーンで上映されたり、譜面が演奏されたりするように。これらはいっそうのリアリティを獲得し、よりおおきな存在感、いっそうまばゆい輝きを得るためのさまざまな手段である。このふたつの系列の事例は同じ次元のものではないが、相似たプロセスを示している。最初の系列〔愛情の高まりなど〕では、おのれの実存のリアリティをつよめていきながら、同じ平面(プラン)にとどまる存在が問題になっている。もういっぽうの系列〔計画の実現など〕では、おのれのリアリティを増大させるときに、実存平面を変えるよう迫られる存在が問われている。つまり当初は可能的ないし潜在的であったものが、存在のしかたを変容させ、いっそうリアルになるということだ。いずれの系列の場合であれ、全般的な問題は同じである。実存するものをいっそうリアルにするにはどうすればいいのか。

この問題こそ、哲学者エティエンヌ・スーリオが芸術の領域においても、哲学や個別の実存の領域においても問い続けたものだ。ところで、エティエンヌ・スーリオ（一八九二年―一九七九年）とはいったいだれか。近年では別の側面が再発見されているものの、かれの名前の記憶はとりわけ、芸術哲学とたえず結びつけられてきた。浩瀚な『美学語彙集』を編纂したこと、ソルボンヌの美学教授であったこと、『美学雑誌』の編集に長年たずさわっていたことも、それなりに知られているといっていい。さほど知られていないのは、かれが純粋な哲学的著作を執筆していたことで、たとえば『魂をもつこと――潜在的リアリティについての試論』（一九三八年）、『哲学の創建』（一九三九年）、『さまざまな実存様式』（一九四三年）、さらには『神の影』（一九五五年）がある。(5) こうした経歴が意味しているのは、スーリオは次第にこれら哲学的な問いへの関心を失ってゆき、本来の意味での美学へと回帰したということだろうか。十分な反響を得られなかったがために、こうした探究は徐々に重要性を失っていったのだろうか。事実はむしろ逆で、魂、存在論、哲学の定義、神、潜在的リアリティをあつかったテクストもまた、芸術哲学の一部をなすものとして考えられるべきなのだ。スーリオの思想全体は芸術哲学であって、ほかのものであろうとしたことは一度もない。

かれの思想の深遠な独創性のひとつは、美学が二次的で副次的な役割を演ずるのをやめることだ。美学はもはや、ヘーゲルやシェリングの美学について語られるのとはちがって、哲学の一部門や一領域ではない。哲学全体が高次の美学に属しているのである。『哲学の創建』において、美学という次元は「哲学の哲学」と同一視される。芸術の哲学について語るまえに、哲学の芸術について語らなければならない。修辞的な意味ではいささかもない。個々の哲学は特定の領域に適用されるのに先立って、おのれ自身を打ち立て自己創建する芸術を想定しなければならないのである。[6] 同じように、芸術をめぐるあらゆる存在論のまえに、存在論の芸術がある。なぜなら、存在のしかたをもたない《存在》などないからだ。《存在》にアクセスするには、《存在》じたいがみずからまとう存在のしかたによるほかない。これこそ『さまざまな実存様式』という著作の主題である。《存在》の芸術とは、その存在のしかた、つまり実存様式の無数の多彩さにほかならない。[7] テクストの論ずる対象が、魂であろうと、実存であろうと、哲学であろうと、神であろうと、目指すところは本質的に変わらない。スーリオの作品群はこの意味からすると、壮大な一貫性をそなえている。心理学、認識論、存在論、哲学は、深遠な芸術哲学の宝庫なのだ。

こうした顚倒をどのように説明すべきだろうか。この点を理解するには、スーリオの出発点である「実存的多元論」からはじめる必要があるだろう。この多元論が真っ先に主張するのはまさに、世界に棲息するあらゆる存在に当てはまるたったひとつの実存様式などないし、あらゆる存在にとってのたったひとつの世界などないということだ。「これらの様式のなかのひとつの様式、たとえば物理的実存や心的実存といった様式にもとづいて実存するものすべて」を網羅したとしても、世界の広がりを汲みつくすことはできない（DME, 82）。スーリオは存在と無のあいだにふくまれる多種多様な実存様式の広がりを展開し、探究してゆくのである。ハムレットの実存様式は平方根のそれと同じではないし、電子の実存様式はテーブルのそれと同じではない、など。すべて実存しているのだが、それぞれに独自のしかたがあるのだ。また逆に、ひとつの存在には実存様式がひとつしかないわけではなく、複数の様式で実存しうる。物理的な存在物や心的な存在物でだけ、というわけではなく、ひとつの存在は精神的な存在物として、価値として、表象として等々で実存しうる。堅固な現前であると同時に一群の電子であるという、エディントン〔天体物理学者〕のふたつの机の有名な喩えもそうだ。あるいはハムレットが、シェイクスピアの作中人物として、舞台上に現前するものとして、言説で言及されるものとして、映画の主人公として、等々で実存するのもそうだ。ひとつの存在はおのれの実存が二重化、三重化されるのを目撃しうる。つまり数的にひとつであり続けながら、複数の別々の平面にまたがって実存しうるのである。

こうした区別は言語上のものにすぎない、なぜならまさにこの存在は数的にひとつであるからだ、という反論があるかもしれない。だが数的にひとつであること、事物のようなしかたで単一性と恒久性を有することはまさに、さまざまある実存様式のうちのひとつにすぎない。ひとつの存在は、まるで複数の世界に属するかのように、複数の実存平面に参加しうる。ひとりの個人がこの世界に実存するとして、そのひとは身体や「心」として実存するが、それにとどまらず鏡のなかの反射としても、他者の精神のなかの主題、観念、記憶としても実存する。実存のしかたは、ほかのさまざまな平面と同じ数だけあるだろう。この意味でいうなら存在とは、多元様式的で、多数様式的なリアリティである。そして世界と呼ばれるものはじっさいのところ、多種多様な「狭間世界」が絡みあい、さまざまな平面がもつれあう場なのだ。

ところで、これら実存様式はいずれも実存する芸術なのだと考えなければならない。ここにこそ、様式じたいをめぐる思考の肝腎な点がすべて詰まっているのだ。様式そのものは実存ではない。それは、ひとつの存在をある特定の平面で実存させるしかたである。様式とは身振りなのだ。どんな実存も、それを創建する身振りから、その実存がかくあるように規定する「アラベスク」から生まれてくるのだ。こうした身振りは、なんらかの創造者に由来するものではなく、実存そのものに内在する。この観点からすると、〈様式（mode）〉と〈しかた（manière）〉は、まったく同じものを指しているわけではない。区別をはっきりさせるなら、様式（*modus* に由来する）は、実存のことを存在の限度や範囲から考えている（節度 modération という派生語が示しているように）。それにたいして、しかた（*manus* に由来する）は、存在があらわれるときにまとう身振りやフォルムから実存を考える。様式は実存する力を制限するのにたいして、しかたは特異なフォルム、線、曲線をあらわにし、それによって「芸術」を示してみせるのだ[8]。

スーリオの哲学が芸術哲学であるのは、フォルムではなく、さまざまなフォルムを組織化する形態原理に関心を寄せるからだ。ここであらたに区別を導入することで、フォルムと形態的なものを取り違えないようにしておこう（形成することと形式化することを混同することがないのと同じように）。フォルム（形相）は、それがかたちをあたえる物質（質料）と不可分である。フォルムは、物質の輪郭を描きだしたり、あるいはその生成変化を制御したりする。というのもフォルムは、物質の目的ないしはエンテレケイアだからである。それにたいして形態的なものとは、建築的構成術をもちいてさまざまなフォルムを組織し、フォルム同士の関係を構造化するものである。一般的にいうなら、フォルムとはさまざまな物質を組織化する原理であるのにたいして、形態的なものはさまざまなフォルムを構造化する原理なのである。

こうした形態原理は、実存がまばゆく彩られる特定の瞬間を生みだす類まれな輝きをつうじてあらわれる。スーリオは、実存が充全に自己を完成させ、建築的構成の展開をとおして、固有の完全性をそなえたものとして打ち立てられるような、そんな瞬間を好んで描きだす。崇高な瞬間、至高の時間である。「黄土色の山々に薄紫色の影が射す。この蒼い海……。ほかにはなにも必要ない。この交響曲が奏でられるとき、添え物はなにもいらない。完璧なものはすべて同じではないだろうか。[……]このようなまばゆさはいわば、存在という純粋芸術の卓越した活動なのだ。物自体といってもよい。なぜなら、欠けているものはもうなにもないのだから」[9]。「純粋芸術」としての存在の卓越した活動ばかりでなく、あらゆる実存が、実存する芸術に依拠している。ちょうど哲学じたいが高次の芸術に依拠しているように。ともすれば、スーリオの実存的多元論は、諸芸術の多元性(音楽、建築、絵画……)をモデルにしていると考える向きもあるかもしれない。けれども、じっさいは逆なのだ。ひとつの存在を実存させる多彩なしかた、実存を後押ししたり、リアルなものにする多彩なしかたから、多元性を引きだしているのは諸芸術のほうなのである[10]。

もしかしたらあらゆる存在のしかたを、その由来たる共通の根源――《存在》――へと差し戻し、哲学を根源的存在論と同一視することもできるのかもしれない。だが、逆の道をたどることもできよう。すなわち、存在のしかたの多彩さそのものを探り、哲学をさまざまな存在のしかたの探究とすることである。もはや重要なのはさまざまな様式を、ひとつの根拠のもとへと――あるいはあらゆる根拠よりも深い無底へと[11]――差し戻すことではない。そうではなく、さまざまな様式がこの根源から身を引き離すしかた、「ちょうど切先が剣の外へと飛びだしてゆくように[12]」、さまざまな様式が《存在》の外へと抜けだすしかたを、研究することが問われているのだ。ある面からするとしかた（マニエール）とは、存在のしかたであり、根源的存在論と結びつく。別の面からするとしかたとは、存在のしかたであり、様式存在論ないしマニエリスム的存在論と結びつくのである。

　スーリオがあらゆる根源的存在論から離反するのは、かれがそうした存在論のうちに、未規定なもの［*bathos*〔深さ〕］という偽りの豊饒さへの嗜好を見いだすからである。この豊饒さは「生全体を驚嘆すべき豊潤さで満たすかのような印象をあたえる」が、じっさいにはこの豊潤さは幻影にすぎない。その世界は「暗闇ばかりでなく、未規定なものと虚無でできているのであって、そこではさまざまな下絵の輪郭が素描されはするものの、相互に入り乱れ混ざりあってしまうのだ」(AA, 42)。スーリオの興味をひくのは、こうした茫漠とした根源ではなく、この根源を出発点として下絵が素描されたあと、仔細を決められ詳細を詰めてゆくにつれてリアリティを徐々に得てゆく様式のほうなのだ。これらの様式のほとんどは粗描や下描きの状態にとどまったままで、茫漠とした土台からおのれを異化することなく、ふたたびそこへ沈みこんでゆく。だが、そうならないほかのものは、リアリティの強度を高めてゆくことで頂点へと浮上してゆく。そして緻密さ、「まばゆさ」を最大限増大させる。これはリアリティの高ぶりのようなものだ。このような頂点だけがスーリオの関心をひくのであって、かれは宇宙の完成というイデーを空想しさえするのである。「宇宙のあまねく地点がその隅々まで全面的に完成され、存在のまばゆい輝きの域に到達する」(AA, 43)。

　スーリオの主要な著作は、ある決まった範囲の多元性を探究するものだ。たとえば、『魂をもつこと』では魂の多元性を、『さまざまな実存様式』では実存様式の多元性を、『哲学の創建』では「哲学素」ないしは哲学体系の多元性を、といった具合である。いつもスーリオは実存する芸術の多元性を打ち立てる多元的宇宙から出発するのであって、一元的宇宙からではないし、感性的な多様なもの、つまりあるひとつの芸術（一般的にいうなら、認識対象を構成する芸術）のための任意の素材から出発するのでもない[13]。ともすれば、分類を提案したり、こうした多元性をなす諸要素を一覧化したりすることが問題なのだとおもわれるかもしれない。ときにはスーリオ自身が、そのように表明することもあろう。たとえば、『魂をもつこと』においてスーリオが区別するのは、表象によって実存する魂（魂をもつと見なされる他人について抱く観念、または他人について抱く観念をもとにして自己自身について抱く観念）、欲求によって実存する魂（自己拡張の欲望）、幻影によって実存する魂（実現することなき夢の実存）、保有によって実存する魂（おのれ自身の完成としての自己保有、察知による他者の保有）、などである。おそらくひとつの魂は、これら様式のうちの複数のものを渡り歩くことができるのだが、それは内面の革命や強度の変様でもあって、それによって魂は様式横断的な存在となるのだ。

同様に『さまざまな実存様式』においてスーリオは、多彩な実存様式を区別している。それは現象の瞬くような束の間の現前から、実存しない存在や潜在的な存在までに到る、さまざまな「要素」ないしは「実存的な意義素」としての実存様式である。ここでも根源的な実存する芸術との関連で、すべてが記述されている。現象にはおのれ自身の完全性をみずから打ち立てる独自のやりかた、おのれ自身を明白なものとするしかたがあって、それが現象自身にとっての実存する芸術となるのだ。「この芸術とは現象の束の間の瞬きという法則であって、現象の現前と実存的な単独性の魂なのだ」とスーリオはいう（DME, 118）[14]。現象の芸術は、それが一瞬の崇高性のなかで繰り広げる瞬間的な建築的構成術をとおしてあらわれる。風景の魂が語られるのと同じように、現象には「魂」があって、それは独自の署名や響きのようなものだ。これとはまったく異なるのが、「事物」の存在のしかたである。事物は、堅固で持続的な現前性でもって世界に棲みつくのである。そのうえさらに別の様式、たとえば空想上の存在や虚構の存在という様式もあって、その類型についてはのちほど然るべきときに研究することにしよう。一般的にいうなら、実存様式とは時空間を占めることである。ただし、それぞれの実存様式はおのれの占める時空間を創造すると追記しておかねばなるまい。現象の時空間は事物のそれと同じではないし、事物の時空間は空想上の存在のそれと同じではない、など。

　あるいはさらに『哲学の創建』では、諸哲学の総体が共存する壮大なコスモスが構築される。哲学史とは星図やプラネタリウムのようなもので、思考の冒険そのものがきっかけで、互いにすこしずつ遠ざかってゆく諸世界の星座が広がっているのだ。こうした諸世界すべてがあつまって、分岐するさまざまな観点からなる奇異な《モナドロジー》が構成される[15]。「まずは、さまざまな哲学素の多元性を認めねばなるまい。つまり人間精神は、世界に哲学的なしかたでかたちをあたえるために多種多様な試みを行ってきたのであり、その試みはそれぞれ真に異なっているということである。コスモスにかたちをあたえるという問題にかんして、同等の価値をもつ解がコスモスのなかには、潜在的に沢山あるのを確認しておかねばならない」（IP, 214）。哲学史は運命によっても、進歩によっても統一されない。哲学史はむしろ、「プレーローマ」としてあらわれるものであって、つまり個々の哲学的な「身振り」としてあらたな体系が創造されるたびに、あらたな存在物によって豊饒さがたえず高まる世界である。[16] だが、共存は平和的なわけでも、互いに無関心なわけでもない。なぜならご存知のように、ある哲学者があらたな存在物を導入する際にはかならず、それと並行して、ほかの体系に属する存在物の妥当性を批判するからだ。

こうした分類をおこなうことで、なにが得られるのだろうか。この多種多様な哲学的調査リストをとおして、スーリオはどんな目的を目指すのか。すでに述べたようにかれは、存在と無のあいだにある多種多様な実存様式を探究し、現象の束の間の瞬きから、潜在的リアリティのふたしかな実存に到る、さまざまな実存の漸減を踏査しようとしている。古典的な二者択一から逃れるさまざまな存在のまったき一群、すなわち存在と無、主観的なものと客観的なもの、可能的なものとリアルなもの、自我と非自我のあいだに位置する「特殊な現前」があるのだ。[17]「認識は、実存的な積極性をいっさいもたないさまざまな存在の一群全体を、《真理》のために犠牲にしなければならないのだろうか」(DME, 84)。とりわけこうした一群にスーリオが興味をひかれている、という印象を人びとは抱くはずだ。これらの調査目録をとおして、まるでかれは世界に棲みつく多種多様な実存形式を破壊から救おうとしているかのようであり、なかでももっとも壊れやすい形式、もっとも儚く、もっとも精神的でもある形式を救おうとしているかのようなのだ。

スーリオは、こうした実存様式の弁護士たらんとする。ところで、弁護士という人物は些末な逸話にとどまるものではなく、ドゥルーズとガタリの定義した「概念的人物」のひとりのように、スーリオの本についてまわる。ドゥルーズとガタリは、この「概念的人物」という概念を創造したとき、関係的、力動的、実存的な特徴にくわえて、特記すべきことに法的な特徴も引きあいにだしている。[18] よく見られる哲学者の肖像には調査官、立法者、判事があって、たえず進行中の事件にたずさわっている。スーリオにあっては、「美学的」な特徴や実存的な特徴のために、法的な特徴がなくなると予想されるかもしれない。だが、頻繁に起こるのは逆の事態なのだ。美学的な人物像のうしろには、法的領域に属する人物たちが控えているのである。

たとえば、知覚主体のうしろに浮びあがるのは、証人という人物像である。というのもスーリオにおける美学的な知覚は、中立的なものでも、利害関心のないものでもないからだ。むしろ逆である。いくつかの特権的な知覚は、おのれが見たものの重要さや美しさを「擁護するために」証言したいという欲望を掻き立てるのだ。知覚することはこのとき、たんに知覚対象を把握するばかりでなく、その価値を証言し証明したいと望むことなのである。証人は決して中立的でも不偏不党でもない。じぶんが見て感じ思考するという特権を得た物事を、見させる責任が証人には課せられる。証人はこうして創造的になる。証人は知覚する主体（見ること）から、創造する主体（見させること）になるのである。だがこうしたことが起こるのは、証人のうしろに弁護士という別の人物がいるからだ。弁護士は証人を出頭させる。弁護士のおかげで、あらゆる創造はそれが出現させるというよりむしろ出頭させる実存を、擁護するための弁論となるのだ。おのれが特権的な証人であった物事に、力を、重要性を賦与しなければならない。だからこそ芸術家、哲学者は、ほかのどんな役割をじぶんに割りあてようとも、同時に弁護士なのである。その多彩な体系は、おのれが創建しその合法性をたしかなものとしようとするあらたな存在物を擁護するための論陣を張るのだ。芸術家、哲学者は、かつてだれひとりとしてなにも見いださず、なにも理解しなかったところに、あらたな存在物を実存させ、あらたなリアリティをつくりだす。たとえばプラトンのイデア、アリストテレスの実体、デカルトのコギト、ライプニッツのモナドなどがそうだ。かれらがこうしたリアリティの弁護士とならないことがあろうか。というのも、その創建につきまとう懐疑、反駁、軽蔑に打ち勝たねばならないのだから。

つまりスーリオの哲学は、芸術哲学であると同時に権利の哲学〔法哲学〕でもあるはずなのだ。おそらく芸術さえも全面的に権利のためにある。或る実存を「いっそう」リアルにすること、それに足場や特殊な輝きをあたえること、それは、こうした実存の存在のしかたを合法化し、特定の形式のもとで実存する権利を授けるひとつの手段ではないか。このことが前提するのは、あらたな実存形式はすべて、そのリアリティを地下から掘りくずす疑問――い、か、な、る、権、利、で *(quid juris ?)* ――に先立たれているということだ。いかなる権利で、あなたは実存することを要求するのか。いったいなにが、あなたの実存の「立場」を合法化しているのか。哲学的なあらたな存在物ばかりでなく、芸術、科学、生存にかかわる実存形式も、おのれ自身の妥当性の証拠をそれぞれ示さなければならない。それら実存形式もおのれを「打ち立てる」には、実存する権利に異議を唱えてくる疑い、懐疑、否認に打ち勝たねばならない。

実存がおのれの妥当性の証拠を示さなければならないのは、実存がそうした合法性をあたえる根拠に依拠している、という意味ではないのか。仮にそうだとするなら、このとき芸術は根拠をあたえる芸術となるだろう（それによって哲学の定義は、プラトン的なものに舞い戻るにちがいない）。それじたいで正当化されることのないあらゆる実存は、おのれの意味、真理、リアリティを、高次の根拠から受けとることになるだろう。ちょうど「代理人（権力によって根拠をあたえられたもの）」が、その職権を法的機関（権威）から受けとるように。いったん根拠づけられると、実存は「ゆるい土や砂」から立ち去って、「岩や粘土を見つけだす[19]」。根拠はたんに基盤や地盤を差しだすばかりでなく、おのれが根拠づける実存様式に合法性を授けるのである。不可思議な変貌ともいえようが、合法化されるという事実のみによって、実存はあらたなリアリティを獲得する。いまや満ち足りたしかたで実存し、堅固な大地を踏みしめるのだ。

だが、根拠があらゆる権威と合法性を失うなら、いったいどうなるだろうか。あるいは、根拠がおのれの権威を利用して、実存を粉々に砕き、そのリアリティを剥奪しようとするときには？このとき実存は、じぶんに欠けているリアリティをみずからの手で獲得しなければならないのではないか。問題すべてがここにある。どうすれば実存はみずからの手で合法性を獲得しうるのだろうか。このときおそらく、「瞬間ごとにじぶんの実存のあらたな裏づけ」を待ち望むカフカの状況に置かれるのではないか[20]。実存する権利すべてを剥奪されているとするなら、こうした裏づけはどこから到来しうるのだろうか。おのれの実存様式に異議が唱えられるとき、ひとつの存在にはなにが残されているのか。どのような時空間をいまなお合法的に占有できるのか。「ぼくは散歩するほかないし、それさえできれば十分だ。けれどこの世界には、ぼくが散歩できる場所がまだない[21]」。もう足を置く大地も、地面もいっさいない。

　あれやこれやの特異な実存様式を合法化する手段を、じぶん自身のどこに見いだせばいいのだろうか。実存をいっそうリアルにするにはどうすればいいのか。おそらく実存たちは、じぶんの居場所をつくり、じぶんを強化するために、ほかの実存たちにしたがわなければならないだろうし、その逆もあるだろう。じぶんひとりで実存しているものなどない。ほかのものを実存させてはじめて、じぶんもリアルに実存するようになるのである。どんな実存であれリアリティを増大させるには、強度を高めてくれるものを必要とするのだ。じぶんが実存させる他者の助けがなければ、ひとつの存在が実存する権利を獲得することはできない。弁護士の役割とはまさに、実存のリアリティの強度を高めることだろうか。あらたな権利の擁護のために闘うことだろうか。これは権利問題だが、かつてないほど芸術の問題でもあり続けている。いかなる創建の「身振り」によって、実存はおのれ自身を合法的に「打ち立てる」に到るのだろうか。

（1）F. Pessoa, *Le Livre de l'intranquillité*, Bourgois, 1999, p. 136.〔フェルナンド・ペソア『不安の書　増補版』高橋都彦訳、彩流社、二〇一九年、一二〇頁〕。「生きることは、物質の抱える形而上学的なあやまちのようにおもわれる」。

（2）*Ibid.*, p. 114.〔ペソア『不安の書　増補版』前掲書、五七四頁〕。

（3）*Ibid.*, p. 71-72.〔ペソア『不安の書　増補版』前掲書、八三―八五頁〕。

（4）*Ibid.*, p. 71.〔ペソア『不安の書　増補版』前掲書、八三頁〕。以下のスーリオの指摘も参照のこと。« La conscience », *Quaderni della « Biblioteca filosofica di Torino »*, vol. 17, 4, 1966, p. 574.「どれほど素朴な人間であっても、かくなるしかたで思考しているがゆえに疑いえない実存を有しているなどと、あえて主張しないだろう。そこにこそデカルトの誤謬がある」。

（5）É・スーリオの著作のより詳細な書誌として、cf. *Dictionnaire des philosophes*, D. Huisman (dir.), PUF, rééd. 1993.

（6）IP, 147-148 において、スーリオは哲学を「思考の純粋芸術」と定義し、「ここ三十年の哲学作品のなかに、たとえばドビュッシーやラヴェル、モネとマネあるいはドラン、ヴラマンクとH・マティス、オルタとオットー・ワーグナー、あるいはブルーノ・タウトとル・コルビュジエなどと類縁的なもの」を探し求めている〔IP, 143〕。同様に、論文 « Art et philosophie », *Revue philosophique de la France et de l'Étranger*, t. 144 (1954), p. 1-2. を参照。そこでスーリオは、哲学の「部門」としての明示的な美学と、哲学作品の建築的構成を奥底で活気づけている暗黙の美学とを引きあいにだしている。「芸術が真の存在論的経験であることを忘れないでおこう。それは無から出発して、ひとつのコスモスが単独性（あきらかさ）を成就させるまで導いてゆく道の探究なのだ」。

（7）DME, 125.「実存とは、さまざまな実存すべてのことであり、それぞれの実存する様式のことである。総体としても、個々のものとしても、実存全体が家をもち、おのれを完成させる」。この文は別の文と響鳴しあう。DME, 111.「なぜなら芸術とは、さまざまな芸術すべてのことだからだ。そして実存とは、一つひとつの実存様式のことである。各々の様式はそれだけで、実存する芸術なのだ」。

（8）IP, 367.「実存することはつねに、なんらかのしかたで実存することだ。実存するしかたを、すなわち特別で特異であたらしい独創的な実存するしかたを発見すること。それこそじぶんなりのしかたで実存することなのである」。

（9）AA, 94 et 113-114.「これらのまばゆい点、光の純粋なきらめきを、いわば朝焼けに照らされた山頂のようなものだと見なすべきだろう（……）。バラ色に染まった斜面が、山がちな地域の其処此処に山頂を出現させるあの崇高な時間。けれども、このバラ色に染まった斜面を、みずから輝く照明のようなもの、赤く燃えるアルプス（*Alpenglühen*）、光の鼓動という直接的な実在と見なすべきではないか。山頂は眠りこみながら実存していた影から引きずりだされるというよりむしろ、打ち立てられ創建されるのだ。なぜならこのまばゆい輝きこそ、山頂にふさわしい固有の存在なのだから」。

（10）いくつかのテクストでのスーリオは、かれ自身の実存的多元論を、諸芸術の多様性をモデルに構想しているように見える（たとえばDME, 158参照）。だが、やがてそれを修正して、いっそう深い芸術が実存することを示すのである。DME, 163.「……なんらかのモデルを提供しうる創建の道ではなく、むしろ芸術に属するなにかのほうに［解決策］を探るのは、奇妙なことではないはずだ。——ただし、それを十分に拡張し、純粋原理において把握しなければならない——実存するという共通の純粋芸術は、異なるさまざまな実存する芸術に共通のものである。実存を獲得したければ、このさまざまな芸術からどれかひとつをじっさいに選択し実践しなければならない」。

（11）Cf. M. Heidegger, *Le Principe de raison*, Gallimard, coll. « Tel », 1983, p. 131.〔ハイデッガー『根據律』辻村公一、ハルトムート・ブフナー訳、創文社、一九六二年、一〇五頁〕。「根源から切り離されている存在、いわば「根源を失っている」存在とは、深淵で「ある」。存在そのものが即自的に根拠づける根拠であるかぎりにおいて、存在はそれじたい無底であり続ける」。

（12）É. Souriau, « La conscience », art. cit., p. 577. かれはこの表現を哲学者ジュール・ド・ストラダから借りている。Jules de Strada, *Ultimum Organum*, Hachette & Cie, 1865, p. 288.

（13）「多元的宇宙」の概念について、cf. W. James, *Le Pragmatisme*, Flammarion, coll. « Champs », 2011, chap.

IV.〔W・ジェイムズ『プラグマティズム』枡田啓三郎訳、岩波文庫、一九五七年、第四講〕。

（14）「単独性（あきらかさ）（patuité）」という術語も、哲学者ジュール・ド・ストラダ（一八二一—一九〇二年）の *Ultimum Organum* (*op. cit.*) から借りたものである。この語は、あきらかであるという事実、「存在しているということそのものによって、あきらかであるという質」を指す。スーリオはラテン語の表現である *patefit* も使用するが、こちらは質ではなく、あきらかになる〔あかるみにだす〕という出来事を指している。

（15）スーリオは「哲学素のモナドロジー」を引きあいにだす（IP, 267）。分岐については、IP, 214.「さまざまな哲学の分岐を受け入れなければならない。哲学はそれぞれ独自の世界を推しすすめ（……）、その規定と実存が完成に向かうにつれ、互いに遠ざかってゆく。どんな公準をもってしても、この分岐をなくすことはできない。なぜなら、哲学思想のなかでそれはリアルなものだからだ」。

（16）IP, 63.「こうした身振りは、切り離されたまったき精神世界のなかで導き手となり、再構成し、構成するものであって、これらすべての反射、これらすべての行為のそれぞれを最終的には存在として打ち立てる。これこそまさに哲学の身振りなのだ」。

（17）AA, 86.「あたえられている手段は、問題を研究することである。（……）ある領域のいくつかの特殊な現前は、なるほど客観的なものに対応するものではまったくない。そのいっぽうで、そうした特殊な現前が魂としてあらわれるには、当初の主観的な現前のときよりも組織化され、いっそう仔細に規定されるのでなければならない。当初の主観的な現前は、かろうじて素描された下絵のように曖昧模糊としたものであって、それが多かれ少なかれ謎に満ちた志向性によって研ぎ澄まされてゆくのだ……」。

（18）*Qu'est-ce que la philosophie ?*, Minuit, 1991, coll. « Reprise », p. 72-75.〔ジル・ドゥルーズ、フェリックス・ガタリ『哲学とは何か』財津理訳、河出文庫、二〇一二年、一二四—一二九頁〕。

（19）R. Descartes, *Discours de la méthode*, Garnier, troisième partie, 1963, p. 599.〔ルネ・デカルト『方法序説』谷川多佳子訳、岩波文庫、一九九七年、四一頁〕。

（20）F. Kafka, *Lettre au père*, Éditions Ombres, 1994, p. 63.〔カフカ「父への手紙」飛鷹節訳、『決定版カフカ全集3』所収、新潮社、一九八一年、一五五頁〕。

(21) F. Kafka, *Journal*, Grasset, Le Livre de poche, 1982, p. 13.〔カフカ『決定版カフカ全集7　日記』谷口茂訳、新潮社、一九八一年、一九頁〕。

2　さまざまな実存様式

スーリオの出発点である実存的多元論とはどのようなものか。まずそれは、存在論的な原子論というかたちで提示される。あらゆる存在は存在のしかたである、そして、逆も然りである。あらゆる存在のしかたは、ひとつの区別される存在であり、独自のしかたで実存している。「存在するものは存在する、そしておのれの純粋な実存を充全なしかたで占有する」(DME, 106)。純粋な実存とは、ほかのいかなるものにも準拠することなく、そのものとして把握された実存様式である。*Patefit*〔スーリオにおいて、ある実存をほかのすべてものと区別する、単独的で特異なリアリティがあきらかになることを指す〕[1]。この視点によるなら、一つひとつの実存はあたうかぎり完全なのだ。日没、建物のファサード、光学的錯覚、電子の舞踏、二等辺三角形、抽象観念。この平面上にはどんな序列もなく、どんな価値評価もありえない。実存は階梯を認めない。それぞれの実存には、内的で比較しえない独自の存在様式があるのだ。こうした原子論は、存在論の壮大な形式——一元論であれ、二元論であれ、類比であれ——、壮大な神学的ヴィジョンを斥けるためのものであって、そうしたヴィジョンによれば、さまざまな存在は、至高の実在や高次の原型にもとづく諸次元（プラン）の階梯に沿って秩序立てられているのだ。〔そのいっぽうで原子論において）いかなる存在論的なグラデーションも可能ではない。ましてや、（仮象、臆見……といった領域で正統性なく生きる実存と対比しながら）、ある実存がほかのものよりリアルで、より正統で、より本質的だと主張することも、この時点ではできない。あらゆる実存はどれも同じようにリアルで、同じように実存しており、同じように正統なのである。

くわえて実存様式を、その実存する力能によって評価することもできない。実存する力能に大小はない。この平面上における存在は、じぶん自身と比較する場合であれ、どれもほかの存在と同じように完成されているのである。スーリオの挙げる例によれば、「夜の青みがかった空を背景にほのかにバラ色に染まる薄い靄」は、「澄みわたる夜の栄光を示すかのように、そのはっきりとした威容ごと光に照らされた比類なく完璧な雲」に、ひけを取らない実存を有するのである（DME, 105-106）。瞬間ごとにおおきくなってゆく雲は、ともすれば完全性を増大させたのかもしれないが、実存を増大させたというのは馬鹿げたことだ。実存は大小のあるものではなく、その意味では中立的な概念である。ひとつの存在がリアリティの条件を変容させるにしても、「だからといってその存在を実存させることにはならない」（DME, 106）。そうだとするならスーリオは、存在の完成について、よりおおきな完全性への進展について語るとき、なにを意図しているのだろうか。問われているのは、実存そのものの核心に強度のグラデーションを導入し、実存者をよりちいさな完全性からよりおおきな完全性へと移行させることではないのだろうか。

現象

じつをいえば、この過程は別の水準に位置している。つまり様式をめぐる厳密な原子論的平面からはなれて、様式同士が互いに結合し、互いのあいだを行き来し、多元様式的なあらたな存在物を形成する平面に合流するということだ。だが当面はその点をいったん脇において、単独で取りだされた様式に限定しておくことにしよう。たとえば現象という実存様式を、それを知覚する意識から独立に把握するにはどうすればいいのか。現象そのものを、それじたいとして、その実存じたいにおいて思考するにはどうすればいいのか。ある意味でスーリオのもちいる方法は、現象学的還元の逆をゆくものである。現象を、それがあらわれる意識や自我(エゴ)に関連づけるのが現象学的還元である。こうした相関関係を確立することはすでに、現象をほかの実存様式に依拠させることであって、観点がずれてしまうのだ。同じ困難は、現象を本質、実体、ヌーメノンに関連づけても起こる。より一貫していて、よりリアルであると想定される別の実存様式に依拠させることで、現象に特有の実存様式を歪めてしまうのである[2]。

ところで現象には、ほかのあらゆる実存様式から区別される独自の完全性を獲得するしかたがある。現象は、それに特異な響きと輝きをあたえる瞬間性という建築的構成によって展開されるのである。スーリオはよく同じ事例を取りあげる。まるで自然の恩寵のごとき瞬間が、ふいに訪れるまばゆさとして描写されるのだ。たとえば空に浮かぶピンク色の雲、風にゆれる木の枝、夕陽に染まる山の分水嶺の線であり、即自的かつ対自的な純粋な瞬間のスナップショットである。

風景全体が、ひとつの陰影(ニュアンス)のおかげで復元される。現象とはこの陰影そのものである。というかむしろ陰影は、現象の「魂」なのだ。というのも陰影は、現象の感覚的な内容や素材からは独立に、瞬く間に逃げ去る形態原理の活動を示すのだから(DME, 115)。現象はたとえすぐ消滅しても、このふいの建築的構成をつうじて独自の実存様式を獲得する。別の言葉でいうなら、「現象に内在する芸術」があるということだ(DME, 118)。ある構造のすばやい出現と消滅。したがって現象は、感覚とはまったく関係がない。感覚はむしろ「騒々しい現象」にほかならず、現象の出現を構造化している形態原理をたいてい攪乱し、覆い隠してしまうのだ。(3)「この集合にふくまれる感性的な内容は括弧に入れておくことにして、それとは別に、その建築的構成術――純粋な形態原理――を取り分けておこう。それは、この疑いようのない単独性(あきらかさ)の魂や鍵と見なしうるものだ」(DME, 115)。

事物

つぎは事物の番である。事物には実存者としておのれを打ち立てる特有のしかたがあって、それは現象とはまったく異なるものだ。事物とはなにか。どのように振舞えば、事物は事物として実存するのか。現象と同じく、事物は現出するものなのだが、ただし現象とはちがって、その多彩なあらわれをつうじて存続し続ける(DME, 120)。ブリュノ・ラトゥールとイザベル・スタンジェールが、『さまざまな実存様式』再版の序文でいうように、事物は「そのあらわれをつうじて自己を維持し続ける――それにたいして現象は、そうしたあらわれ（すべて）にほかならない」（DME, 38）。事物とは時空間をまたぐ恒常性として獲得され、保持されるものである。「そこにこそ、この実存の基礎がある。実存する芸術としていうなら、状況に左右されない現前を獲得し、実現し、じっさいに保持することなのだ」（DME, 123）。移りゆく多種多様な現象の虜になるのではなく、恒常性の世界に身を落ちつけることになるのである。

だが、おそらく事物全般について語るべきではない。というのもスーリオにおいてこの概念は、互いに区別されるさまざまな存在物や「事物性」と結びつくからだ。ここでさらなる区別を導入しなければなるまい。時空間をまたいで自己を維持するしかたにおうじて、事物にはおおきな多種多様性があるということをあきらかにする必要があるのだ。正三角形はひとつの事物なのだが、シューベルトのソナタもひとつの事物である。エジプトのピラミッド、ソクラテス、原子もそれぞれ事物である。どれをとってみても、時空間をつうじて同じしかたで存続しているわけではないにもかかわらず、である。スーリオの差しだすイメージが、こうした差異を例証してくれる。一枚の紙をアコーデオン状に折り畳んだものと、しわくちゃにしたものがあるとしよう。そのそれぞれに一本の針を刺してみることにする。いまのところ針が一本あって、穴がひとつあいているだけだ。けれども紙を広げてみると、複数の穴があらわれるのにくわえて、穴のあいている場所が紙の折り畳みかたによって異なっている。アコーデオン状に折った紙のほうは規則的に穴があいているのにたいして、しわくちゃの紙のほうは偶然まかせに穴があちこち散らばっている。針がちょうどそうであるように事物はひとつなのだが、時空間のなかでのその恒常性のあらわれかたは、紙にあいた穴の場所と同じくらい多彩なものでありうるのだ。したがって、たとえば正三角形やどんな「合理的な存在物」であれ、同時に複数の場所に、ばらばらのしかたで実存しうるのである。「即自的な正三角形とはひとつの本質であって、現象としては多彩なあらわれかたがあるのだ」(DME, 124)。ソナタの場合も同様で、ソナタは複数の場所で同時に演奏されたり、あるいは、一定期間どこでも演奏されないこともあるだろう。こうしたあらわれの現象上の多彩さがどれほどあったとしても、それらは、個々の具体的な状況にたいして「無関心」な、数的にひとつの事物に結びついている。

そのいっぽうで本質や、合理的な存在物や、音楽的な存在物とはちがって、いまここに実存することを余儀なくされる事物もある。特異な事物がそうだ。ソクラテスという個人は、正方形のような遍在性や、ソナタのような間歇的なあらわれをもちえない。かれは、いっさいの遍在性を禁ずる恒常的な現前形式によって束縛されている。「同時にふたつの場所にいることが絶対にできないのは遺憾なことだ。つねにどこかにいるという条件は、さらに苛酷なものだ」(DME, 124)。特異な事物に固有のこうした制約は同時に、身体の定義でもある。身体とはまず、その有機体としての特徴や物理的な特徴によってではなく、心を服従させているたえざる拘束によって定義される。身体とはまず束縛である。この視点からすると、固有の身体は、われわれにとって「諸事物」のなかで最初のものなのである。なぜなら、固有の身体は自己を維持しながら、われわれを世界のなかに挿しこむからである。「それは最初の作品であり、われわれがたんなる現象であることをやめた段階における幼年期の傑作なのだ」(DME, 130)。身体によって、われわれは諸事物の世界に参入するのである。

だが、こうした恒常性は第一の特徴をなすにすぎない。事物であるためにひとつの実存は、ほかの実存たちと結びつき、それらとともに体系的な統一を形成し、ある特定のコスモスのなかでそれらを結びつける歴史を構成しなければならない。現象の建築的構成はかたちを変え、「宇宙性（コスミシテ）」へと生成するのである。ソクラテスは、かれをかれとして規定する文脈全体、すなわちアテナイ、その法制、風習、ギリシャ語などから切り離せない。同じように正三角形は、ユークリッド空間の一連の公理や特性と不可分である。ソナタは和声の規則、演奏する楽器などと結びついている、等々。事物たちの世界の「宇宙性」、組織がある。つまり、事物たちの安定性を保証する多彩な結合体系があるのである。——現象の流動的な世界において、建築的構成が儚いものであるのとは対照的だ。けれども逆説的なことに、事物のこうした恒常性は事物じたいに内在するものではなく、心からやって来るのである。

というのも、現象はその実存するしかたをおのれ自身にのみ負っているのにたいして、事物のほうはその事物としての地位を、それを思考し、その統一性、同一性、宇宙性を同時に打ち立てる心に負っているからだ。現象としてのあらわれを超えて、事物を実存として維持するためには、相互に結びつく諸事物で満ちたコスモスを構成するには、思考が必要なのである。だがまさにここでの思考とは関係にほかならない。この関係によって事物はおのれを実存として維持するのであり、自身がほかの事物と結合されるのを見るのである[4]。逆にいうなら、思考には「おのれが束ね感じる事物のほかに支えがない」ということでもある（DME, 127）。換言するなら思考は、それが実存として維持する事物によって条件づけられているということであり、事物は返礼として、思考に固有の足場を差しだすのだ。(5)

したがって窮極的にいうなら思考の実存様式は、事物の実存様式と同じ種類のものである。諸事物が安定的で秩序立った体系を形成するいっぽうで、心にも一種の「不朽性（モニュメント）」があって、だからこそ心の「組織と形態が恒常性の法則となる」のだ。(6) ただし、魂や心が事物だというわけではなく、事物が事物であるのはそれを思考する魂のおかげだということだ。同様に魂がみずから不朽（モニュメント）のものとなるのは、諸事物についての思考によってであり、さまざまな事物――諸々の心、合理的な存在物、物理的な存在物、実践的な存在物――を秩序づけた世界を構築することによってなのだ。心は事物ではないが、事物の構造をもつ。つまり、「変容し、拡大し、ときには転覆され、傷つくことすらある調和的な体系……」を形成するということだ（DME, 128）。こうしてわれわれは、第二の世界の現前に立会うことになる。もはや現象の世界ではなく、諸事物のコスモスであり、心的な存在物、合理的な存在物、物理的で実践的な存在物が、さまざまな「事物性」として共存する世界である。(7) 諸々の実存様式を区別する基準は、なにより構造的なものであり、ひとつのリアリティが独自の実存様式として立ちあげられる条件にかかわるものだということが見てとれるだろう。こうした条件が描きだすのは、この条件そのものが一定の時空間のうちに分布し、時空間を占有するしかたなのである。

想像的なもの

こうした実存様式にくわえて、「もろくて一貫性のない存在物」すべてを追加しなければならない。それは事物と思考の世界、スーリオの口吻をまねるなら、心と事物性の世界を二重化するものだ。この存在物はあまりにもろいので、かれがいうには、なんらかの実存をあたえるべきか迷ってしまうほどだ。それはフィクションの存在、想像上の存在すべてであって、「それらはわれわれにとって実存するものであり、その基礎は欲望、心配事、不安や希望であり、さらには空想や暇つぶしなのだ」(DME, 133)。それは現象のあらわれの論理にも、事物の同一性の法則にもしたがわないが、それらのありようを模倣する。ちょうど想像上の犬が、実存する犬からなにがしかを拝借するように。フィクションの人物はすべてこの事例に該当する。たしかにフィクションの人物は、事物のコスモスに参加し、諸事物のうちの一部となることはできない。なぜなら、あらわれの論理にも、同一性の法則にもいっさいしたがわないからだ。この意味で、フィクションの人物は、「無宇宙性」を生きている。しかし、準‐世界を形成するミクロコスモスには帰属しているのである。

これらフィクションの存在には、いわば社会的な実存がある。なぜなら、所与の文化世界における言説、典拠、信に属しているからである。ではどうして、それらの存在に事物と同じ地位をあたえないのだろうか。ドン・キホーテやスワンはすくなくとも、心と同じくらいたしかな基礎を有してはいないか。じつをいえばフィクションの存在は、たとえ社会的な分割に組みこまれているとしても、おのれの糧をそこから得ているわけではない。それを実存させているのは、われわれの信なのだ。ドン・キホーテやスワンが実存するのは、われわれの「顧慮」によるものだとスーリオはいう。なによりそれこそが、ドン・キホーテやスワンを実存させるのだ。スーリオがこれらの人物を想像上のものではなく、「顧慮にもとづく」存在として定義するのは、それらの実存が、その創建に参加する情動にかかっているからだ。[8] 恐怖や欲望が実存させるのは、いったいどういったものだろうか。子どもにとって、夜の闇にはどんな怪物がひしめいているのだろうか。

こうした存在が実存すると主張することはつまり、それらはたんに「主観的」な実存を有するだけではないということだ。それらはむしろ、われわれを行動させ、語らせ、思考させるのである――われわれの信がそれらに差しだす存在のしかたにおうじて。子どもが全速力で逃げだすよう仕向けるのは、まさに夜の闇にひそむ怪物たちである。それが事物の物的な実存とちがうのは、こうした情動や信による支えがなくなると、たちまち実存するのをやめてしまうという点にある。こうした実存様式は実体的なものではなく、むしろわれわれの情動によって養われるという意味で、「心によって育まれる」[9] ものなのである。事物にしては、遍在性や、コスモスへの参加や、一貫性が足りない（DME, 134）。したがって現象の世界、事物のコスモスに、フィクションの王国をくわえなければならない。この王国にふくまれるのは、想像上の存在すべてであり、つまりは、スーリオにとって想像的なものの変種にほかならない可能的な存在の総体である（DME, 130-136）。想像され、夢想され、可能性として思い描かれ、空想される存在。儚いものだったり、ほとんど事物と同じくらい堅固なものだったりする多くの存在すべて。[10]

潜在的なもの

けれども、こういってよければ、いっそうちいさな実存をもつ存在がある。スーリオはフィクションの存在よりもいっそう繊細で、もろい実存類型を描きだす。すなわち潜在的な存在である。「ある事象が潜在的に実存するというのは、つまり実存しないということだろうか。そうではまったくない。だが可能的だという意味でもない。そうではなく、ある任意の現実がその事象を条件づけていながら、しかしそれをうちに包含することも、措定することもないということなのだ。この事象は外でみずからを完成させる。純粋な虚無の空虚のなかで、おのれ自身のうちに閉じこもる。壊れた橋や着手されたばかりの橋のアーチは、崩落を潜在的に描きだすが、実現されてはいない」(DME, 136)。こうした存在は最初の兆し、下描きであり、いまは実存せずおそらくこれからも決して実存することのないモニュメントのようなものである。おそらく橋は決して修復されず、おそらく下絵は決して完成されず、物語の続きが書かれることも決してないだろう。顧慮によるのとはちがって、潜在的なものの実存様式はいかなる情動にも依拠することはなく、われわれの信じる力からリアリティを受け取ることもない。そのいっぽうで潜在的なものは、純然たる虚無と混同されないようにする手段をもたねばならない。なぜなら橋を修復すること、曲線を延長すること、一瞬しか姿を見せない示唆を発展させること、つまりこれらの潜在性を実存させることは、一定の条件のもとでのみ実行されるからである。その条件は、実存している下描きによって部分的に決定されつつ、しかしこれらの潜在性じたいによっても部分的に決定される。このことが示しているのは潜在性が、たんなる純粋な非実存と混同されることはないということだ。

ヘンリー・ジェイムズがじぶんの小説の構成作法を語るとき、こうした潜在的なものの本性を見事に示す事例が見いだされる。ディナーのさなかに、着想をあたえてくれるような挿話、すなわち「会話の流れのままに漂う微粒子」をときどき耳にすることがあって、そのなかにジェイムズは物語のあたらしい「主題」の可能性を垣間見るのだ。「主題というのは、もっとも単純なものの種子のなかに、つまり真実、美、現実の斑点のなかにひそんでいて、日常のまなざしではほとんど見ることが叶わない」。たとえば古い邸の調度品について言い争う母と息子の諍いの話を耳にすると、かれはあたらしい物語の筋立てを手にしたことを感ずるのだ（中篇『ポイントンの蒐集品』として結実する）。「せいぜい十語くらいの話だったのだが、そのなかにまるで閃きみたいに、『蒐集品』を織りなすささやかなドラマの可能性すべてを一気に見いだすと、このドラマがあちこちで活気づきはじめた。まもなく法の絡む争いごとの話がはじまって（……）、不器用な人生がまたおろかな仕事に取りかかるのだと悟った[11]」。これは潜在的なもののあらわれのきわめて見事な描写である。かすかな輪郭を示しているにすぎない線がいくつか描かれると、着想が芽生え、あらたな可能性がまとめて出現するのだ。ただし生活の日常の流れのなかでは、潜在的なものが垣間見させる将来的な建築的構成の高みに身を持することはできない。生活は「ひたすら不器用さ、あやまちにとどまり続け、砂のなかでじぶんを見失ってしまう」からだ。求められるのは逆のことである——会話の日常的な流れをたどる代わりに、作家は並行世界へと分岐してゆき、物語によってこの並行世界のポンテンシャリティを探るのだ。

これまでわれわれが区別してきたのは、現象の世界、事物のコスモス、フィクションの王国という三つの宇宙である。いまやそこに第四の宇宙、つまり潜在的なものの叢雲をつけくわえねばならない。「大量の下絵や書出し、未完成の計画が、ささいで変わりやすい現実の周囲に描きだすのは、今後も決して実存しないであろう存在や記念碑が万華鏡のように舞う姿なのだ」(DME, 136)。潜在的なものはわたしたちの周囲のそこここにあって、出現しては消滅し、リアリティそのものが変化するにしたがってかたちを変貌させてゆく。潜在的なものにはいかなる堅固さも、土台も、一貫性もない。ある意味、それはもっとも広大で豊かな宇宙である——すくなくとも外観上は。しかし同時にもっとも儚く、不整合で、もっとも虚無に近いものでもあるのだ。

スーリオの生みだす実存様式の——網羅的ではない——一覧のなかで[12]、潜在的なものは特別な地位をもつようにおもわれる。あらゆる実存様式にはそれぞれ特有の「芸術」があって——現象にはあらわれの芸術、事物にはおのれを維持する芸術、想像的なものには(おのれを)精神的に育む芸術——、潜在的なものもこの規則の例外ではない。ひとつの「芸術」が、潜在的なものの存在のしかたの完全性を差配している。ただし、潜在的なものの完全性とは、未完成であることだ。潜在的なものは、完全かつ内的に未完成なのである。つまり、潜在的なもののうちには、いわば完成を待ち望み、要求するものがあるのだ。

だからこそ、潜在的なものは特別なのだ。潜在的なものは、なによりおのれを実存させうる芸術を、さらには、おのれを別のしかたで実存させうる芸術を待ち望んでいる。潜在的なものの芸術とは、芸術を呼び醒ますこと、芸術を要求することであり、潜在的なものに固有の「身振り」とは、ほかの身振りを呼び醒ますことなのだ。潜在的なものは、あらゆる手段を講じて潜在的なものをまずは実存させ、さらには別の様式で実存させるほかの存在――創造する者――を必要とし、逆に創造する者は、あらたなリアリティを創造するためにこの潜在的なものの叢雲を必要とする。潜在的なものの未完成性によって育まれるのだ。換言するなら、世界のなかに創造への欲望、芸術意志を導きいれるのは、潜在的なものである。それはわれわれの実践するあらゆる芸術の源泉なのだ。諸芸術、哲学、諸科学はまさに、われわれの世界を取り囲む「真実の諸原子」のこの流動的な叢雲によって育まれている。

そうはいっても潜在的なものが、現実世界から遊離した別の宇宙をなしているわけではない。潜在的なものはむしろ、この世界にすっかり内在している。ちょっとした会話が物語の種になったり、顔の輪郭線がときに肖像画に変貌したり、いくつかの音が旋律の冒頭部になったり、一本のシナリオが映画になったり、ひとつの直観が体系になったりする、など。影のようにうしろからついてくる、ポテンシャリティの叢雲をともなわない現実など存在しない。どんな実存であれほかのものへの刺激、示唆、種子となりうるし、未来のあらたな現実の断片となりうる。あらゆる実存は権利上、未完成なものとなる。別の言葉でいうなら、潜在的なものによってスーリオ哲学の第二の扉が開かれるのだ。当初の原子論は、様式存在論の諸要素、「意義素」としての諸実存様式の一覧をつくることを可能にするものだったが、この原子論は放棄される（DME, 149）。それとともに実存はおのれを変容させ、変形させ、おのれのリアリティの強度を高め、ある様式から別の様式へと移行し、様式同士を結合させうるようになる。様式横断的なものの領域に足を踏み入れるのである。スーリオにおける潜在的なものに特権があるとするなら、様式的なものから様式横断的なものへの移行を差配する主要なオペレータであるという点にある。実存様式がそれぞれ別個に描きだされる静的世界から、力動的世界へと移行することで、いまや変形や増減が重要なものとなるのだ。

とはいえこれは潜在的なものが実存へと移行すると、潜在的なものとして実存するのをやめるということではない。むしろ逆である。まさに潜在的なものじたいが、その曖昧さにもかかわらず、おのれ自身の実存への移行の条件を決めるのだ。個々の創造の努力、個々の前進はいわば実存の提案〔命題〕のようなものであって、流動的に変化してゆく建築的構成の要求がおぼろげに描きだされるにつれて、潜在的なものはその提案に同意したりしなかったりするのだ。言葉、色彩、線や空間、フレーミング、フォルムによる提案。いずれの場合も問われているのは、暗黙のうちに潜在的なものにゆだねられている可能性である。潜在的なものが当の選択を受け容れるかどうかを知るべく、可能性は潜在的なもののほうへと差し向けられるのだ。一つひとつの潜在的なものには、それを不十分なしかたで表現するものを受け容れたり否定したりする特有のしかたがある。潜在的なものは、じぶんを取り巻く肯定や否定の継起によって精緻化されてゆくとともに、問題提起的な存在ともなってゆく[13]。もっというなら、あらたなリアリティの創建はすべて、このリアリティの場所を横取りしている亡霊を霧散させねばならず、亡霊が占めていた場所を勝ち取らねばならないのだ[14]。

ひょっとしたら、こうした言葉づかいは適切ではないのかもしれない。じつをいえば、潜在的なものはなにも決めず、なにも受け容れず、なにも否定しない。潜在的なものがつくる星雲においてはむしろ、あらゆる決定が予感、予言、直観の問題となる。もっというなら、潜在的なものが「決める」条件の大半は、暗黙のものであると同時に変わりやすいものなのである。そうだとしても潜在的なものが、ほかのタイプのリアリティと同じくらい切迫したしかたで活動する点に変わりはない。潜在的なものの力とは、問題の力である。潜在的なものには問題提起的な力があって、ヘンリー・ジェイムズはそれにきわめて精緻な定式をあたえている。「こうした萌芽をわれわれにあたえてくれる人生が（……）、やがてこの仕事を投げ出してしまい、しかもわれわれにはそれを制止する間もないとするなら、どんな目印がわれわれを導いてくれるというのか。われわれを救ってくれる選択をおこなうための基本法則とはいかなるものか。いつどこに介入すべきか、良き脱線や悪しき脱線のはじまりをどこに置くべきかを、どうやって知ればよいのだろうか[15]」。

これこそスーリオがたえず提起する問いである。実験をめぐる、あるいはかれが創建と呼ぶものをめぐる全般的な問いなのだ。繰り返しておくなら、スーリオにあって潜在的なものがかくも重要なのは、われわれをあらたな次元へと踏みこませるからだ。もはや実存様式の次元（様式的なもの）ではなく、別の様式とのあいだでの様式変形の次元（様式横断的なもの）にいるのだ。ひとつの存在が、非実存の限界において、より「リアル」で、より存立的な実存を獲得するにはどうすればよいか。いかなる身振りによってだろうか。いかなる「芸術」によって、実存はじぶんのリアリティを増大させうるようになるのか[16]。よりリアルになることを強く要求するのはおそらく、虚無と踵を接するもっとも儚い実存にちがいない。そのいっぽうで、そうした実存を知覚し、その価値と重要性を把握しうるのでなければなるまい。だからこそ、実存の創建を可能にする創造行為の問いを提起するまえに、実存の知覚を可能にするものについて自問する必要がでてくるのだ。

(1)純粋な*patefit*について、OD, 101 sq. そこでの純粋実存――それそのものであること――についてのスーリオの描写は、パースにおける「一次性」の描写にきわめて近い。Cf. *Écrits sur le signe*, Le Seuil, 1978, p. 83 sq.

(2)DME, 114.「このとき現象はあらわれから表出へと、外観から現出へと姿を変える」。

(3)DME, 115.「この集合にふくまれる感性的な内容は括弧に入れておくことにして、それとは別に、その建築的構成術――純粋な形態原理――を取り分けておこう。それは、この疑いようのない単独性（あきらかさ）の魂や鍵と見なしうるものだ」。

(4)DME, 127.「この規定が想定している思考とは、純粋かつ単純にいうなら、結合と交流である」。

(5)DME, 127.「事物の実存は、思考によって構成される。だが、思考じたいもまた、事物の実存において構成されるのであって、思考はそこに棲みつき、そこで活動する。事物の実存において、思考はリアリティの要因なのである」。

(6)DME, 124 et 128.「心にこの同じ実存様式を認めることでわれわれが主張しているのは、心には一種の不朽性があるということであり、心の組織と形態はそれによって恒常性や同一性の法則となるのである。このように心の生を理解することは、この生にたいする裏切りなどではない。魂を建築的構成術として理解しそこねること、すなわち変容し、拡大し、ときには転覆され、さらには傷つくことすらある調和的な体系として理解しそこねることは、心の生を別の意味で取り逃がすことなのだ……」。

(7)「心にも物にも該当する存在的な実存様式にかんして、より一般的に語ることにしよう」(DME, 127-128)。

(8)DME, 134.「その本質的特徴はつねに、われわれの注意や配慮のおおきさや強さが基礎にあるということ(……)、われわれのおかげで地位を得ているということであって、それ以外にリアリティの条件をもたないのだ」。

(9)スーリオが強調するように、情動の強度が「このモニュメントを支える基盤」となる(DME, 134)。

(10)DME, 134.「したがって想像的なものがあるように、情動的なもの、実用的なもの、(こういってもよければ)注意をひくものがある。特定の配慮や特定の綿密さの重要性がある。一言でいうなら、顧慮による実存である」。

(11)H. James, *La Création littéraire*, Denoël/Gonthier, 1980, p. 136-137.〔『ヘンリー・ジェイムズ『ニューヨーク版』序文集』多田敏男訳、関西大学出版部、一九九〇年、一二九―一三二頁〕。

(12)スーリオはみずからの実存様式の一覧が、恣意的で偶然的なものである旨を明記している(DME, 162)。

(13)否定にかんして、ホワイトヘッドにおける「否定的包握」と比較することもできよう。Cf. *Procès et réalité*, Gallimard, 1995, p. 355-357.〔ホワイトヘッド『過程と実在(下)』山本誠作訳、松籟社、一九八五年、四〇二―四〇三頁〕。同様にディディエ・ドゥベーズの分析を参照。Didier Debaise, *Un empirisme spéculatif*, Vrin, 2009, p. 91-92. 個体的実存の領野についても同じことがいえる。AA, 63.「じっさい人びとは理解するだろう。これら潜在的な存在は、さまざまなコスミックな出来事と命題の戯れのなかで描きだされるものだ。その多様性や偉大さは、いっさい現実化されずともそのままえから、ただ提案されるだけでわれわれの魂をすでに豊かにしているのだ。これら潜在的な存在はそれぞれ、同等の精神的価値をもつわけではないし、そんなはずもない。そのなかには《両立不可能性》や、演じることが不可能な《役》や、《誘惑》や、転落する《自我》もふくまれている。そうした主題のなかには当然にも、われわれが完成を拒絶せざるをえない完成もあるのだが、それにもかかわらず、われわれのまわりを、この潜在性の暈がたえず取り巻いているのだ」。

(14)「哲学素のなかには、肯定と創建とからなる或る積極的な圏域がある。創建は光でもってほとんど一方向的になされるのだ。そのつぎに諸事実が司る圏域の一種があって、それは実存の積極的な肯定や、明確な否定――それは存在しない!――とかかわっている。よき光は亡霊を霧散させるのだ」(IP, 337)。

(15)Henry James, *La Création littéraire*, *op. cit.*, p. 136-137.〔『ヘンリー・ジェイムズ『ニューヨーク版』序文集』前掲書、一三〇―一三一頁〕。

(16)AA, 60-61.「事実のなかで、われわれを取り巻くなにかが、いっそうおおきなわれわれの実存という問題を提起する。そしてわれわれ自身も(……)、じぶん自身を精神的におおきくし、まったく異なる規模の実体として、みずからを打ち立てたいという欲求の一種を感じることがある。じぶんがいまあるようなしかたでろだ求要いなでうそはきとるあ、りあで求要な当正はきとるあ――だのなげかおの求要、はのるいてし存実う。解決すべき問題はここにあるのだ。よくご理解いただきたい。いまや解決すべきは、思弁的研究を続ける哲学者にお誂えむきの理論的な問題ではない。解決すべきは事実上の具体的な問題なのだ。それは、先述したような呼びかけに応じて、不十分であるとじぶんで感じる実存よりもいっそう広大で、実質的な実存を生きるよう試みるひとのための問題なのだ」。

3　いかに見るか

この変化について一言でいうにはどんな言葉がいいか。
注目。よりちいさい。ああ、美しい唯一の言葉。よりちいさい。椅子はよりちいさい。
眼がどこから執拗に見つめようと。

サミュエル・ベケット[1]

幼い子どもが、さまざまなものをおおきいものからちいさいものまで、時間をかけて丁寧に母親の机に並べて、きれいで飾りつけみたいだとじぶんでおもえるようにして、母親を「いっぱい喜ばせよう」としているところを想像してみよう。母親がやって来る。静かでどこかぼんやりした様子のかのじょは、じぶんのつかうものをひとつ手にとって、別のひとつをいつもの場所に戻す。それだけでぜんぶ台無し。泣きそうになるのをこらえながら子どもが、がんばって説明すると、母親はじぶんの無理解がどれほどのものかを悟ってこう謝るのだ——ああごめんね、すごいものだってことが見えていなかったの！（AA, 17)。

わたしには見えていなかった……。結局のところ、かのじょにはなにが見えていないのか。母親に見えていない「すごいもの」とはなんなのだろうか。それはていねいに並べられたさまざまなものの配置であって、この配置こそが、子どもには精緻な視点があるということを証言するのだ。これこそ子どもの「魂」だといってもよいだろう――魂すべてが、さまざまなものの配置のなかに流入しているのだ。ふたりともそれぞれ納得できる理由がある。母親にはさまざまなものがよく見えている、なぜならじぶんで片付けたからだ。かのじょが見ていないのは、子どもの視点からのオブジェの実存様式であり、子どものまなざしによって素描された建築的構成である。いいいいいいいいいいいいかのじょに見えていないのは子どもの視点なのだ。かのじょには、そこに視点――独自のしかたで実存する視点――があるということが見えていない。かのじょが知覚していないのは潜在性なのだ。ちょうどぼんやり散歩しているひとには、小川を横切るように並んでいる石のなかに、潜在的な橋の下絵がひそんでいることが見えないように。まるで鑑賞者がアナモルフォーズのまえにいながら、その解読を可能にする角度を探しあてられないために、なにを表象しているのか見えないようなものだ。このように諸事物からなるコスモスのなかには、さまざまな開かれが、潜在的なものによって描きだされる無数の開かれがある。そうした開かれを知覚し、重要性をあたえるひとはそれほど多くない。もっと稀少なのは、創造的な実験をとおしてこうした開かれをみずから穿つ人たちだ。

こうした盲目性は潜在的なものばかりでなく、現象にも当てはまる。人びとは現象のうちに、実存する事物の表出を見てしまうがゆえに、純粋な現象性を取り逃がしてしまう。現象の現象性を、そのあらわれの基体へと連れ戻してしまうのだ。「このとき現象はあらわれから表出へと、外観から現出へと姿を変える」（DME, 114）。わたしのまえでは、晴れた空と丈の高い草を背景に、樹々が花を咲きほこらせている。これが現出しているものだ。だが現象とは、樹でも空でも草でもなく別のものなのだ。「新鮮で堂々とした色合い。色彩は互いに支えあっていて、対立すると同時に調和している。陽光に照らされピンクがかったまばゆい白。トルコブルーの蒼穹を背景に、枝の端にちいさくかたまって咲いている感動的な花々」。これが現象の現象性であって、ささいなことで霧散させられてしまう一種の建築的構成なのだ——瞬間に宿る魂。すでに見たようにスーリオは現象の形態原理を、その内容からいつも慎重に区別しようとする。形態原理とは現象の骨格のことであって、つまりは現象を織りなす多様な要素を、対立、コントラスト、相補性、均衡といった調和的関係にもとづいて、ともに「成立」させるしかたのことである。

母と子をめぐる先の挿話は、有名なブランクーシ事件をどこか想起させるものだ。騒動のいきさつを手短に振り返っておこう。一九二六年十月、二十点近くの彫刻が米国に陸揚げされたとき、《空間の鳥》がニューヨーク港の税関職員の目にとまった。職員は検査ののち、芸術作品が法的に受けられる免税措置をこの縦長のブロンズ像に適用することを拒否し、通常の営利目的の工業製品の税金が課されることになった。スーリオの事例における母親のようなこの税関職員には、ブロンズ製のたんなる部品にしか見えないのだ。フォルムに包みこまれている「魂」や視点、このフォルムが展開する建築的構成を、この職員は見ていない。つまり別の視点からすればこのフォルムのものである実存様式が見えないのだ。問題がすぐさま法的問題〔権利問題〕になることがわかるだろう。この事件が法廷にもちこまれ、合衆国における芸術作品の法的地位を変えたという理由ばかりではない。ブランクーシにとって同じく重要なのは、生のあらたな形態のための権利をつくりだすことだからだ[1]。

現象のコンポジションや、机のうえにていねいに並べられたものの配置が、知覚されないのはなぜだろうか。理由は単純で、それを知覚する視点は、おのれ自身を確固たるものとし、じぶんの世界の連続性を保証するために、別の所与に依拠するからだ。机は片付けなければならないし、税関の規則は適用しなければならない、など。そうだとするなら現象学者の望むように、自然的な態度を断ち切ることで、現象への意識の刷新をおこない、「事物そのものへ」回帰しなければならないのではないか。だがスーリオにすれば現象学は、方法論上の慎重さにもかかわらず、現象の「魂」をつかむことができない。現象学は事物を、内側からではなく外から観察する意識の視点にもとづいて把握する。その観点はつねに意識の観点であって、決して現象じたいの観点ではない。「現象学の弁証法は、実在的な現前性や無媒介性としての現象そのものを括弧に入れる。それによって、現象が前提するもの、現象とは別のものへと向かおうとする要請だけを保存して見つめる。そして、それを明確化し、それだけ別個に取りだして外で完成させることになる。この意味での現象学とはしたがって、現象を探すのにもっとも適していない場なのだ。灯りの下こそもっとも暗い場所なのである……[2]」(DME, 116)。子どもと一緒にいる母親と同じように、現象学は、現象じたいの内側に視点があるということを見ていない。

それにしても、事物を内側から把握するとは、いったいなにを意味するのか。現象がひとつの視点を表現しているということ、固有の観点によって生気を得ているということを、どう理解すべきだろうか。スーリオにとって知覚することは、じぶんのまえに広がる世界を外から観察することではなく、むしろ逆に、ちょうど共感するときのように、ある視点のなかへと入っていくことなのだ。知覚とは参加することである。ある現象が到来しその美しさが心を打つとき、われわれはいわば知覚のモニュメントの内側にとらえられ、このモニュメントが瞬間的にまとう構成を探検することになるのだ。われわれの観点は別の観点のなかに、われわれの視点は別の視点のなかに嵌めこまれる。あたかもある志向性が、ないしはある秩序原理といったほうがいいかもしれないが、現象の建築的構成のなかで見えるようになっているかのようだ。世界にたいする観点があるのではない。そうではなく逆に、世界のほうが、その無数の観点のうちのひとつへとわれわれを入りこませるのだ。《存在》はおのれ自身のうちへと自閉し、到達（アクセス）しえない即自のなかに閉じこもっているわけではなく、おのれが生起させるさまざまな観点によってたえず開かれている。さまざまな観点は《存在》を開き、その襞を広げ、権利上無数にある諸次元や諸平面を探検するのである。

だが、どうすればいいのか。これらの観点を見させるには、どうすればいいのか。これらのコンポジションを見させる方法はあるのだろうか。ここで特記しておきたいのは、見させることは同時に、実存させることであり、知覚させたものをいっそうリアルにすることでもあるという点である。そのためには、まったきひとつの「芸術」が必要であることがわかるだろう。観点を知覚させ、よりはっきりしたリアリティを観点にあたえる視覚装置のようなものを構想しなければなるまい。その手段のひとつが還元である。というのも多種多様な実存様式をあらわにするために、スーリオは「実存的」還元を引きあいにだすからだ。だが、実存的という形容詞が適切なものかどうかは定かではない。たしかにスーリオのおこなう還元は、現象学的還元にたいする明確なアンチテーゼたらんとするものだ。というのも、すべてを意識の視点に従属させる代わりに、特定の実存様式によって表現される視点をその都度引きだすことを重視するからである。[3] それぞれの実存様式は、おのれを展開する際の出発点となる特異な「実存平面」を有している。だが遂行される操作は「実存的」というより、遠近法主義的なものである。なぜなら実存様式を描写することは、その様式の表現している視点の内側へとたえず遡行することだからだ。どんな実存様式もひとつの視点を内包している。この点こそが実存様式を、純然たるたんなる実存と区別するものでさえあるのだ。スーリオは頻繁にこう繰り返している。事物の視点を見つけなければならない、なぜならそれぞれの実存様式は独自の視点をもっているからだ、と。

還元ということで、ここでなにを理解すべきだろうか。フッサールはこの術語を再発明したものの、操作を刷新したわけではない。この操作は哲学と同じくらい古いものだ。還元全般の重要性は、あらたな存在物の知覚を可能にする平面を創建する点にある。還元はひとつの方法に仕立てあげられるのだが、周知のように、この方法の機能とはまず知覚にたいして作用し、まなざしの転換をおこなうことである。問われているのは存在のあらたな階級（クラス）を見させること、知覚しうるようにすることであり、さもなければそれは見えないままなのだ。[4] こうした知覚の刷新にとって障壁となるあらゆる前提、偏見、錯覚を、平面の外に追いやろうという第一の契機がこうして生まれてくる。還元とはまず掃除という操作なのだ。見ることを妨げるものすべてを取り除き、経験野を純化せねばならない。

還元することとは、この意味で、純粋経験の平面を取りだすことである。それにしても、なにを取り除くのか。ついに見ることができるようになるためには、なにを除去すべきなのか。哲学者ごとに回答が異なるのは当然のことだ。第一にプラトンは、外観に囚われているほかの人びとには見えないもの――本質の世界――を見るために、必要な転換をおこなう人物たちを描きだした。取り除かなければならないのは、感性的な外観という変わりやすい現実であり、それがイデア界の観照を妨げる障壁になるというのだ。イデア界は純粋経験の平面をなしているが、ここで「純粋」が指し示しているのは、イデアの自己同一性という形式であり、即自的な《正義》、即自的な《美》、即自的な《善》である。イデアが純粋形相なのは、あらゆる他性、あらゆる劣化を免れているからだ。イデアを観照しうるのは、それじたい純粋思考へと生成する思考だけである（ヌース）。あるいはさらにデカルトにおける懐疑の操作は、「われ思う」の純粋な内面性の外にあるものすべてを、経験野から取り除いて純化することを可能にする。プラトンとはちがって、あらゆる他性を取り除いた純粋な同一性形式ではなく、悪意をもって侵入してこようとする外的要素すべてを取り除いた純粋な内面性形式を探し求めているのだ。同じことは現象学的還元にもいえるだろう。いったん自然主義的な前提を取り除いたうえで、「純粋内面性の心理学[5]」としての超越論的自我論を構成しようとするのだ。ここで同じく重要なのは、こうでもしなければ見えないままであり続けるもの——生きられた経験の本質の本源的世界——を見させるための平面を描きだすことである。プラトン、デカルト、フッサール。本質を知覚する三つの様式に対応する還元の三つの類型。

けれども当然ながら、還元のすべての形式が、本質や実体を見させる機能をもつわけではない。こうした還元形式のうちのいくつかが、逆の目標を追究することだってある。問われているのはいつも、純粋経験の平面をつくりだすことなのだが、しかしいま問題なのは、先行して実存する同一性形式や内面性形式すべてを、平面の外に追いやることなのだ。経験が「純粋意識」へと還元されるのではなく、経験からあらゆる本質やあらゆる意識が取り除かれるとき、経験は純粋なものとなる[6]。もはや本質も内面性形式もなしに、零度の経験から出発するなら、生きられる経験がいかに構成されるかを見させることになるのだ。もはや同じ前提と闘っているわけではないし、出会う人物も同じではない。いまや問われるのは、偽の知に囚われている人物ではなく、あらゆる認識を欠いた無知な人物、たとえば新生児やアダムといった形象である[7]。あるいは、零度の感性を具現化したコンディヤックの不思議な彫像でさえあるだろう〔『感覚論』でコンディヤックは、あらゆる感覚を剝ぎ取られた存在として「彫像」を想定した〕。一七世紀と一八世紀の哲学者たちは観察というあらたな平面をもたらすのだが、このとき還元は分析の産物となるのだ。経験がもっとも単純な要素まで分解されるとき、なにが知覚されるのか。「純粋」なのは、もはや本質的なものや実体的なものではなく、むしろ要素的なものや単純なものだ。この新たな平面を起点とするとき、道徳的で政治的な認識主体の複雑な経験が構成されるところが見えるようになる。同様の操作は政治哲学にも見いだされるものであって、それは零度と一体化する「自然状態」が、あらゆる政治組織を取り除いた純粋経験として理解されるときである。自然状態は〈視覚〉装置として作用するのであり、この装置を起点として、政治体の形成が出現してくるところがついに見えるようになるのだ。

還元は、それがみずから創建する純粋経験の平面と切り離せないばかりでなく、この平面を顕現させる人物をも必要とするのがわかるだろう。プラトンには、囚われの者を洞窟から脱出させる必要があった。ドゥルーズとガタリが示したのは、哲学には人物の導入が絶対的に不可欠だったということである。哲学は両眼を獲得するために、じぶんが描く平面に棲みつくために、諸概念に命を吹きこむために、人物を必要とするというのだ。哲学に内在する芸術というテーゼを強固にするこの仮説を、スーリオは評価したにちがいない[8]。還元のある類型から別の類型に移るとき、人物たちはまったく別のものになる。大ざっぱにいって合理主義的と呼びうる還元の場合には、プラトン、デカルト、フッサールにおけるように、懐疑する者、外観に不信を抱く者、真理を探究する偽の懐疑論者などに出くわすだろう。経験論的と呼びうる別の還元の場合には、無邪気な者、純真な者、無知な者にかかわるだろう。古典的経験論におけるアダムと新生児という形象がそれに当たるが、同様にウィリアム・ジェイムズの根本的経験論における純真な者や、『物質と記憶』冒頭のベルクソンの形而上学的経験論に出てくる哲学的議論についてなにも知らない「常識的な人間」もそうだろう[9]。さらにはドゥルーズとガタリの『アンチ・オイディプス』におけるスピノザ主義的な自然人も、『哲学とは何か』におけるニーチェ的な子ども＝遊戯者もそうである。経験論哲学の人物たちはもう本質を目指さない。これらの人物に通底しているのは一種の無垢である。だからこそこの人物たちは前提をもつことなく、純粋経験のあらゆるポテンシャリティに向けて開かれるのだ。これらの人物たちの「純粋」なありかたとは、逆説的なことに、可能なかぎりおおきな異質性に向けて開かれていることであり、この意味で徹底的に「不純」であることなのだ。これらの人物たちはあらゆる変身をなすことができ、複数の観点を重ねあわせながら、それらのあいだを循環してゆくことができる。経験論的な人物とはしたがって、じぶんで努力して実体や本質に到達する者ではない。その理由は単純至極かつ真当なものでつまり、このあらたな平面にはもはや「自己」も、実体や本質もないからなのだ。

　こうした装置は哲学にしか当てはまらない、芸術はそれじたいとしていかなる還元もおこなわない、という反論の声がおそらくあがることだろう。だが、それがなければ見えないはずのものを見させる平面をつくる試み、そこから出発することですべてを再構成できるような一種の純粋経験に合流する試みに、出会うことはないだろうか。文学においてそのことを示すのは、純粋経験の形式を体現しているという意味で、還元の過程から生まれたようにおもわれる人物たちの実存である。これらの人物は一種の零度に合流するのだ。これらの人物は、ほかのひとたちと同様、事情に通じているわけではない。それどころか、ほかのひとたちにはもう手に入らない無垢さ、純真さを保存している。この人物たちはそうした本性のおかげで恥ずべき妥協いっさいを免れており、そのことによって特権的な観察者となるのだ。たとえばディドロの《修道女》、ドストエフスキーの《白痴》、『カラマーゾフ』の信心深い弟、ヘンリー・ジェイムズの子どもたちやアメリカ人の若い女たち、『ドイツ零年』の子どもや、クリモフの傑作『炎628』（別題『来たれ、そして見よ』）のうろたえる少年兵などを挙げることができるだろう。こうした人物たちは、別のしかたで見させるという意味で、還元の過程を体現している。これらの人物たちはじぶんを取り巻くものの低俗さ、悪意、妥協を見させるだけではなく、ほかの人物たちが見ていないもの、遙か以前に見ることをやめてしまったものを、われわれに見させるのである。これらの人物たちは経験の鏡として、あるいは経験の「強度を高めるもの」として作用するのだ[10]。

　視覚芸術が遂行しているのも同じ闘いであって、すべてをやりなおしたければ、ページ、キャンヴァス、スクリーンを白や黒にする必要があるのだ。知覚を掃除するための純粋経験すなわち零度。たとえばラウシェンバーグが《ホワイト・ペインティング》シリーズで、ついで《ブラック・ペインティング》シリーズで、絵画を純粋経験の形式へと還元していることを、どうして見ずにいられるだろうか。あるいは、アグネス・マーティンがたえずそこに舞い戻り、そこから再出発する「グリッド」についてはどうか[11]。肝腎なのはもはや、絵画をその窮極的な限界や想定された本質――絵画の精髄としての絶対的な《白》や《黒》――へと連れ戻すことではない。問われているのは純粋なフォルムや質を取りだすことでもなければ、純粋な物質へと到達することでもない。むしろ問題なのは、絵画のなかにポテンシャリティを充填しなおす、半ば物理的で半ば精神的な素材の一種から出発することなのだ。ところで、素材（マテリオ）をたんなる物質（マチエール）から区別するのは、素材が力によって、内的な力動性によって活気づけられているという点であって、それによって素材は半ば心的な生きいきとしたリアリティとなるのだ。木や岩は生気を欠いた物質ではなく、無数の襞、葉脈、節が駆け巡っている。素材とは、精神へと生成する物質なのである[12]。

あらゆる努力はまさに、素材の高みに身を持し、素材のもつベクトル、「志向性」につきしたがうことへと傾注される。その前提として、たとえ意味をあたえてくれるものだとしても、意識の志向性を放棄している必要があるだろう。デュビュッフェもまた普通のひとに呼びかけるのだが、かれいわく、「精神はじぶんに呈示されるものを起点として動きはじめ、それに全面的に密着しつきしたがう（……）。芸術は素材と道具から誕生する。そして道具の痕跡と、道具と素材の格闘の痕跡を保存するのでなければならない[13]」。素材が予期せぬつながりのほうへと導こうとするときでさえも、そういうときにはなおさら、「素材」のポテンシャリティについてゆき、そのもっとも近しい同志になること。いまや「純粋」は本質ではなく、さまざまな変形と変態に適した混成的な素材と結びつく。軟体動物がじぶん自身の一部として貝や珊瑚や小石の欠片を飾りつけることで、身を守るのにすこし似ているのかもしれない——あるいはもっとよい例を挙げるなら、ラウシェンバーグのタブローが、顔料、鏡の破片、靴下、新聞の切抜き、扇風機、糊、金属など、じっさいに「不純」な要素を混ぜあわせているようなものだ（《判じ絵》、《シャーリーン》、《ブロードキャスト》、《パントマイム》参照）。こうした諸作品は、本質にまつわる前提をすべて解体したうえで、はじめて可能になる。作品はこのとき、「本質的でない」諸要素があちこちで出会うことによって生ずる連結、多様な接続によってつくりだされるのだ。

そして芸術の人物たち自身も変貌を遂げる。もはや統合された形象——聖人やキリスト的形象

――だけではなく、混成的でつぎはぎだらけのブリコラージュされた形象となるのだ。文学における格好の例となるのが、ロビンソンの人物像の進化であろう。ロビンソンが零度の経験を理想的に体現しうる人物となりえたのは、難破の際にすべてを失ったからだ。それはあらゆる偏見を取り去り、前提と幻想を剝ぎとる絶好の機会ではなかったか。それにもかかわらず人びとが目撃するのは、ロビンソンが日常の同じ仕事をやりなおす姿である。すなわち建設すること、開発すること、組織化すること、資本化することであって、かれは魂のうちに植民地を建設するのだ。家族単位のロビンソンもの（ヨハン・ダビット・ウィースやジュール・ヴェルヌによる）が登場したところで、状況はまったく進化しない。あらたに文学と哲学の興味をひくには、難破が真の還元過程となり、ロビンソンがそれによって徹底的に変形され、ほかのだれも見ることのできなかったものが見えるようにならねばならなかった。これこそまさに、ミシェル・トゥルニエが『フライデーあるいは太平洋の冥界』で描いたことだ。ロビンソンは純粋経験――他者なき世界の純粋経験――の人物となる。他者の現前がなくなってゆくにつれて、かれの世界の組織は徐々に崩壊してゆく。あらゆる前提、偏見、錯覚は一掃される。そのときあたらしい世界、ロビンソンがあらゆるメタモルフォーゼに開かれる原初世界が立ちあがるのだ。すぐわかるように、ドゥルーズがこの小説に関心を抱いたのは、かれも還元を一種の無人化として理解していたからだろう。ドゥルーズにあって還元することは、無人化することであり、つまりは物質と思考を人間以前と人間以後の世界に差し戻すことによって、それらの力能を探究することなのだ[14]。あるいは近年のオリヴィエ・カディオの物語のように、まったく別の着想によって、ロビンソンが多形的で混成的で散種された形象になることもあるだろう。そこでのロビンソンは「零和（ゼロ・サム）」、つまり恒久的に零へと還元されたコギトの経験となる。なぜなら流動的な諸状態のエントロピーが増大するとき、それら諸状態はいずれもロビンソンを発散させる可能性となるからだ[15]。もはやロビンソンは他者なき世界を啓示する者ではなく、結びつきのないさまざまなシークエンスの連鎖となる。それは永久的な難破の破片としてあらゆる他者が錯綜する、現実的かつ精神的な空間なのだ。

われわれが還元の道具として平面と人物を引きあいにだすのは、スーリオ自身がこれらの概念を真に必要としているからである。かれの様式存在論は、さまざまな実存平面の多元性や、多種多様な人物たちと切り離せない。この視点からして典型的なのが、『魂をもつこと』という書物である。なぜならこの本は、いくつもの短い小説的な場面をめぐって成立するからだ。スーリオは人物たちをふやしてゆき、その観点のうちへとわれわれを入りこませる。こうした観点はいずれも実存する芸術を例示するものであって、その芸術のなかには錯覚に満ちたものもあれば、充全に完成されたものもある。これこそスーリオの遂行する遠近法主義（ペルスペクティヴィスト）的還元の意味である。権利上、問題となるのはさまざまな観点（ペルスペクティヴ）と、一つひとつの観点が自身のために描く実存平面だけなのだ。つねに問われているのは純粋経験に到達することなのだが、いまや消滅するのは、まえもって実存する共通の外部世界である。これこそ解体されるべきあらたな前提なのだ。とはいえ、もはや世界は存在しないということでもなければ、世界の実存が現象学的エポケーの場合のように括弧に入れられるということでもない。そうではなく世界が諸観点に内在するものになり、それによって多数多様化するということなのだ[16]。消滅するのは世界ではなく、共通世界という観念である。遠近法主義のテーゼとは、まずひとつの共通世界があって、それを各自が領有しながら「じぶんの」世界につくり変えてゆくのではない、ということだ。むしろ逆である。「私的」で特異な諸世界がまずあって、つぎにそれら諸世界が多数多様なしかたで交流しあいながら、ひとつの共通世界を形成してゆくのである。「私的」な諸世界のあいだの交流によって世界は共通のものとなってゆく。まず共通世界があって、それを私物化してゆくことで、諸世界が私的なものになってゆくのではない。ひとつの共通世界の代わりに、多数多様なしかたや身振りがあるのだ——すなわち、世界を知覚し、領有し、そのポテンシャリティを探究するしかたの多数多様性である。まえもって実存する世界に、さまざまな観点が外から付加され、その世界「についての」視点になると考えるのは誤りなのだ。繰り返しになるが、観点とは世界にたいして外在的なものではなく、むしろ逆に、世界のほうが観点に内在するのである(AA, 24)。零とは転換点である。零とは観点の誕生なのであり、そのいっぽうで「零以下(レス・ザン・ゼロ)」とは共通の、あまりに共通の世界のなかで、観点が消滅してしまった証しであろう[17]。

　現時点でスーリオ思想の本質的な特徴をいくつか取りだしてみるなら、かれの思想が多元論的な存在論の一種であるのがわかるだろう。なぜなら《存在》は、実存する芸術としての《存在》様式を起点として理解されるからだ。つぎにかれの思想は遠近法主義哲学としてあらわれる。なぜならそれぞれの様式は、おのれが表現する「視点の法則」にしたがうからだ。さらにこの遠近法主義は形式主義と切り離せない。なぜなら一つひとつの視点は、おのれの偶然的な発展法則を生みだす構造を、すなわち建築的構成を独自のしかたで表現するからだ。最後に、これらふたつの側面が結合することで、スピリチュアリズムとなる。なぜなら視点（ないしは建築的構成）は、一つひとつの実存様式の魂を構成するからだ。

こうした遠近法主義を示す兆候として、スーリオはかれ独自の還元過程をピント合わせの相次ぐ継起として描きだす。つまり「ひとつの存在をその完成度がもっとも高まったところで静止させることで、あきらかに示そうとする能動的な操作」の総体である（AA, 24）。ある面からすると、これこそ『魂をもつこと』を織りなす数々の短い物語の意味だろう。ひとつの観点のなかに入りこみ、それが完成される地点、すなわち最大限に「明晰な現前」まで、つきしたがう必要があるのだ（AA, 24 ; IP, 247）。一つひとつの実存は最良の状態までもたらされねばならず、そうすることで実存は、おのれに固有のものとして帰属する平面を創建することになる。つまるところひとつの観点を定義するのは、その存在のしかたよりむしろ領有の様式であって、であることよりむしろもつことなのだ。[18] これは様式的なものから様式横断的なものへの移行を示すあらたな兆候である。いまや問われているのは特定のものであることではなく、むしろ、あらたな存在のしかたを自己自身の次元として獲得してゆくことだろう。

（1）Cf. *Brancusi contre États-Unis*, Adam Biro, 2003. ブランクーシの宣言について、p. 126.「芸術家は自然の精神そのものをつかみとり、創造された自然とまさしく同じような世界を、すなわち生への権利を肯定するさまざまなフォルムを創造するべく努めなければならない」。同様に、B. Edelman, *L'Adieu aux arts*, L'Herne, 2011 ; C. Delavaux et M.-H. Vignes, *Les Procès de l'art*, Éditions Palette…, 2013を参照のこと。スーリオが権利の領域と、それが有する実存様式の変形能力とに関心をもたなかったのは驚くべきことだ。たえず変わらぬ全般的な問いとは、いかなる実存様式か（そして、だれがその所有者か）、というものである。

（2）あるいはさらにAA, 62参照。「……自我にかんしていうなら、或る現象のなかに自我が理論的に含意されているという事実をもとにして、［現象学］は、現象の実在性のなかに自我がリアルに包含されているとする。ついで自我は、それをうちにふくむ現象に先行するものとして、さらには現象の外部にありさえするものとして再構成される（まずは世界のうちにある自我、つぎに世界の外にある自我）」。フッサールによるいくつかの指摘、たとえば *Idées directrices pour une phénoménologie*, Gallimard, coll. « Tel », 1985, p. 164.〔フッサール『イデーンI-I　純粋現象学と現象学的哲学のための諸構想（イデーン）』渡辺二郎訳、みすず書房、一九七九年、二一三頁〕を参照のこと。「……人間と人間的自我が従属的な個別的実在として参入しにくる時空的世界の総体が有するのは、その意味上、純粋に志向的な存在である。つまりこの総体は、意識にとっての存在という純粋に二次的で相対的な意味を有するのである」。

（3）DME, 116においてスーリオが望んでいるのは、「こうした実存的還元をじっさいにおこなうこと」であり、それは「現象学的還元にたいする明確なアンチテーゼとなる」だろう。かれが望むのは、「純粋現象に全体系を集中させることである（……）。それこそ、現象の視点に身を置くことなのだ」。

（4）たとえば、哲学にかんするスーリオの発言を参照のこと。「ものを書く哲学者が望むのは（……）、ある特定のしかたで特定の事象を見させる手段を、人びとのなかに客観的に設置することである。哲学者は人びとのためにこのモニュメントを構築するのであり、それを書物にゆだね、人びとの只中に設営するのだ」（IP, 34-35）。

（5）E. Husserl, *Méditations cartésiennes*, Vrin, 1969, p. 32 et p. 33.〔フッサール『デカルト的省察』浜渦辰二訳、

岩波文庫、二〇〇一年、七八―七九頁〕。「端緒にあるのは純粋経験であり、いわばいまなお無言の経験であって、それを、その固有の意味の純粋表現へともたらすことが問われているのだ」。

(6)たとえば、W・ジェイムズの論文 « La conscience existe-t-elle ? » in *Essais d'empirisme radical*, Agone, 2005 を見よ〔ウィリアム・ジェイムズ「「意識」は存在するか」、『根本的経験論』所収、枡田啓三郎・加藤茂訳、白水社、一九九八年〕。

(7)D. Hume, *Enquête sur l'entendement humain*, IV, 1re section.〔デイヴィッド・ヒューム『人間知性研究』斎藤繁雄・一ノ瀬正樹訳、法政大学出版局、二〇〇四年、第四章、第一部、二四頁〕。「アダムは（……）水の流動性や透明性から、水が窒息させるかもしれないということを推論できなかったはずであり、焔の放つ光と熱から、焔がじぶんを焼き尽くしてしまうかもしれないということを推論できなかったはずだ」。

(8)スーリオは一つひとつの哲学が示す視点のなかに、理念的な人物を見いだしている。IP, 252-253.「作品は理念上の内的な証人を生みだし、この証人に向かって構成されるのだ。そして作品にふれる魂はすべて、この証人に多かれ少なかれ同一化せざるをえないだろう」。

(9)*Matière et mémoire*, PUF, rééd. 2008, p. 2.〔アンリ・ベルクソン『物質と記憶』合田正人・松本力訳、ちくま学芸文庫、二〇〇七年、三六〇頁〕。「われわれは、哲学者たちの議論を知らないひとの視点に身を置いている」。『物質と記憶』における還元の操作について、cf. C. Riquier, *Annales bergsoniennes*, PUF, n° 2, 2004, p. 261 sq.

(10)Cf. H. James, *La Création littéraire*, *op. cit.*, p. 232-233.〔『ヘンリー・ジェイムズ『ニューヨーク版』序文集』前掲書、二三三頁〕。「こうした増殖は経験にとって素晴らしいもので、そのそれぞれが強度を高めるものだった」。同様に、『メイジーの知った事』をめぐって p. 165.〔同書、一六一頁〕。「……どんなことであれ、子どもを不快なことに接触させると、それだけ不快さが募ってゆく」。

(11)この「グリッド」にかんして、アグネス・マーティンは無垢な状態をさらに引きあいにだしている。「初めてグリッドを製作したのは、ちょうど樹の無垢さについて考えていたときのことでした。このグリッドが頭に浮かぶと、無垢を表現していると気づいたのです。このことをずっと考え続けています」。F.

Morris, « Innocence and experience », *Agnes Martin*, Tate Publishing, 2015 に引用。

(12)現代芸術における素材の重要性、その修復とリサイクルについて、cf. T. Manco, *Matériaux + Art=Œuvre*, Éditions Pyramid, 2012. 哲学においては、ウィリアム・ジェイムズが「純粋経験」の領野を素材〔マテリアル、原料〕として定義し、素材をたんなる物質から区別している。

(13)J. Dubuffet, *Prospectus et tous écrits suivants*, Gallimard, 1995, tome III, p. 100 et Gallimard, 1967, tome I, p. 56.

(14)Cf. *Vendredi ou les limbes du Pacifique*, Gallimard, coll. « Folio », 1972.〔ミシェル・トゥルニエ『フライデーあるいは太平洋の冥界』榊原晃三訳、岩波書店、一九九六年〕。くわえてドゥルーズによる分析を参照のこと。*Logique du sens*, Minuit, 1969, p. 350 sq.〔ジル・ドゥルーズ『意味の論理学』小泉義之訳、河出文庫、二〇〇七年、下・二二五頁以下〕。このふたりの著者におけるロビンソンものへの関心は相当昔からのものだ。そのことを示すのが、トゥルニエのテクスト Tournier, « L'impersonnalisme », *Espace*, n°1, 1945 であり、ドゥルーズのテクスト Deleuze, « Causes et raisons des îles désertes » in *L'Île déserte et autres textes*, Minuit, 2002, p.11 sq.〔ドゥルーズ「無人島の原因と理由」『無人島 1953-1968』所収、前田英樹監修、河出書房新社、二〇〇三年〕である。

(15)O. Cadiot, *Futur, ancien, fugitif*, POL, 1993.「零和（ゼロ・サム）」――カディオのもちいる――は、ゲーム理論と関連するものだが、めまいがするほど沢山の可能性が増殖してゆくことによって零に還元されるコギトにも関連している。そうした諸可能性はコギトを貫通し、そのなかで混淆しあうのだ。カディオによるかれ自身のロビンソンについての発言を参照のこと。*Les Temps Modernes*, Gallimard, 2013, n°676, p. 17.「かれはそうとは知らずに芸術家か聖人になっている。かれにはあらゆる性質が備わっているが、そのいずれも中途半端で、ほんとうの意味でなにかになるには不十分なのだ（……）。完全性への欲望のせいで、かれは無節操に変化してゆく。変形論者のかれが、たえざるモーフィングをとおして変わってゆくのを読者はまざまざと目撃するだろう。なぜなら、かれはじぶん自身の計画と完璧に同化しているからだ」。

(16)Cf. G. W. Leibniz, *Discours de métaphysique*, § 9.〔G・W・ライプニッツ『形而上学序説　ライプニッツ―

アルノー往復書簡』橋本由美子監訳、秋保亘・大矢宗太郎訳、平凡社ライブラリー、二〇一三年、第九節、二六頁〕。「こうして宇宙はいわば、実体の数だけ多数多様化されてゆく……」。同様に、Souriau, DME, 84.

(17)零が転換点だとするなら、零度以下では、「零以下」では、なにが起こるのだろうか。ブレット・イーストン・エリスの『レス・ザン・ゼロ』やそのほかの小説において、登場人物たちは知覚させ感動させてくれる閾を探し求めるが、それにたどりつくことはない。ある意味で、かれらは登場人物ではない。なぜならこの人物たちはなにも見させないからであり、すべてのものが等しく無差異になるからだ。ほかのすべてのものと同じく、知覚や感情は表面的なものであり続ける。知覚や感情が深まって、知覚されるものを変形することは決してない。知覚や感情を煽りたてる衝撃がどんなものであろうとも、である(たとえば『レス・ザン・ゼロ』におけるスナッフムービーの上映や、売春の挿話における窃視の場面)。麻薬でさえも知覚を変えない。麻薬はシャンパンと同様の社会的な日常の添え物にすぎない。これはすべてのものから距離をとる独自の「白い」エクリチュールであって、白人が感情的にも白け、コカインで顔面蒼白で、しかも無能なうえに、なにも感じられないという知覚しえない苦悩もあいまって頭は真白で、あらゆることから追放された異邦人と化している。「LAの高速道路ではだれも車線を変えようとしない」。共通の世界ではあるものの、お決まりの社会的承認の符牒を除くと、共有するものがなにもない世界であり、観点なき世界と物語なのだ。

(18)タルドを引き継ぎつつドゥルーズは『襞』において、「もつこと」を、ライプニッツのモナドの特徴とした(*Le Pli*, Minuit, 1988, p. 143 sq.〔ジル・ドゥルーズ『襞　ライプニッツとバロック』宇野邦一訳、河出書房新社、一九九八年、一八三頁以下〕)。ライプニッツの影響は、とりわけ『哲学の創建』に感じられる。同書でスーリオはライプニッツを批判しているにもかかわらず、哲学史を壮大なモナドロジーとして提示している(IP, 267, 383)。

訳注

1　Samuel Beckett, *Mal vu mal dit*, Minuit, 1981, p. 66.〔サミュエル・ベケット『見ちがい言いちがい』宇野邦一訳、書肆山田、一九九七年、六九頁〕。

4　魂ノ広ガリ

魂をもたなければならない
そして魂をもつにはつくらなければならない
エティエンヌ・スーリオ

スーリオが実存様式の一覧に潜在的なものを導入すると、すべてが変貌を遂げる。もはや当初の原子論に甘んじていられない。原子論によるなら、一つひとつの実存はそれじたいで完全であり、おのれ自身の秩序のなかで決定的に完成されている。だが潜在的なものによって、あらゆる現実は未完成なものとなる。このことは壊れた橋のアーチや下絵だけでなく、これ以上ないほど完成され「仕上げ」られているものをもふくむ、すべての現実に当てはまる。大いなる事実とは、スーリオによるなら、「あらゆるものが実存的に未完成であることなのだ。あまねくすべては、われわれ自身もふくめ、一種の薄明かりや、幽かな暗がりのなかでしかあたえられない。未完成のものがおぼろに粗描されるこの暗がりのなかでは、なにものも充全たる現前や明白な単独性（あきらかさ）をもたず、全面的な完成や充足した実存をもたない[1]」。
すべてが下描きになるとき訪れる帰結を引きださねばならない――もはや存在はなく、プロセスしかない。あるいはむしろ、唯一の存在物とはいまや行為であって、これら存在を触発し別のしかたで実存させる変化、変形、変態なのだ。「そこにおける唯一の存在者が、かくなる力動性と推移――死、昇華、霊化、誕生、再誕生――だけであるような実存の宇宙を引きあいにだすこと[……]。唯一の現実は、これら行為の壮大な劇や儀式となる」(DME, 151)。スーリオの用語によるなら、いまやわれわれがいるのは存在的なものの世界ではなく、むしろ接合的（シナプス）なものの世界であり、変形、出来事、事実の世界なのだ。様式的なものから、様式横断的なものへと移行するのである。たしかに当初の一覧へと立ち戻って、現象、事物、想像上の存在物などのかたわらに、出来事を並べることもできるだろう。ただし、ひとつ条件がある。実存は「存在のなか」だけでなく、「存在同士のあいだ」にあるのを認めねばならない(DME, 88)。いずれにせよ、このあらたな実存様式がわたしたちを、「まったく異なる実存上の基礎[2]」を有する別の世界へと転換させることに変わりはない。

もはや事物のない世界、動詞と動詞の活用しかない世界だ。ボルヘスの幻想的書物『伝奇集』のなかで描かれたトレーンの世界にいるようなもので、その世界はもはや「空間のなかでのさまざまなオブジェの集合」ではなく、「独立したさまざまな行為の異質な系列」なのだ。「空間的ではなく」、純粋に「継起的で時間的」な世界であるがゆえに、「推定されるトレーンの祖語（ウアシュプラーハ）」には実詞がなく、非人称動詞があるのみだ。〈月〉という語に対応する言葉はなく、スペイン語でいうなら〈月光する〉や〈月する〉とでもいうべき動詞があるだけである」[3]。先述の母親が、「すごいものだったのね」と述べたとき、かのじょは存在的なものの世界にいたことになる。いまや接合的(シナプス)なものの世界においては、「なにかが起こった」といわねばならない。

スーリオにとって、起こる事柄はいかなる本性をもつのか。かれは出来事をどのように理解するのか。一箇のグラスが割れるとしよう。「先ほどまで、一箇の全体としてのグラスがあった。いまや無数の破片がある。双方のあいだには、取り返しのつかないことがあり(……)、つまり割れることがあるのだ。突発的事件、事実によって起こることは、還元しえないままであり続ける。これをほんとうの意味で表現しうる唯一の形態は、動詞の動詞性だけだ。動詞性という言説の持ち分において表現されるのは、〈来ること(venir)〉〔動詞の不定法＝原形〕と〈来る(vient)〉〔動詞の活用形〕とのあいだの差異であり、〈落ちること(tomber)〉〔動詞の不定法＝原形〕と〈落ちる(tombe)〉〈落ちた(tombait)〉〈落ちるだろう(tombera)〉〔いずれも動詞の活用形〕とのあいだの差異である。この還元しえないものの単独性(あきらかさ)。これこそ事実の実存なのだ」(DME, 153)。この例に惑わされないように気をつけよう。ここで重要なのは、事実のリアリティであって、事実そのものではない。事実の重要性とは、事実のリアリティがまとう見まごうことなき特徴なのだ。特定の実存のリアリティを疑うことはできても、事実については疑いえない。なぜなら事実には効力があって、存在の実存様式をなにかしら変更するからだ。ここでの効力とは、グラスが割れたという事実ではなく、グラスが存在様式を変えたことを指す。もはや一箇のグラスではなくなり、無数の鋭利な破片になるのだ。スーリオの遠近法主義に即していうなら、出来事とは視点の顚倒なのであって、つまりなにかが起こることで、もうグラスをグラスとして考えることができなくなるのだ。この意味で、出来事とは厳密にいって精神的なものである。さしずめわれわれは、グラスを割ってしまったあとで、じぶんの手に届く範囲のオブジェすべてをひとつずつ指さしながら、「こわれやすいの?」と訊ねる子どものようなものだ。この子どもにとって世界はもはや同じものではなくなり、これ以降、世界は「こわれやすいもの」という相のもとで把握され、割れる事物に満ちていることになる。一瞬で十分なのだ……すべてが別のしかたで知覚されるには。繰り返しておくが、出来事には物質的なところ(「事実」)はいっさいなく、純粋に精神的なもの(「事実によって起こること」)であり、ストア派のいうように「非物体的」なのだ。出来事とは精神の生である。

一瞬で十分なのだ……スーリオにおいて、「創建的」な瞬間や「特別」な瞬間として理解されるものには、あきらかな特権がある。これは潜在的なものにあたえられるのと同じ特権である。というのもスーリオにとって、瞬間とは潜在的なものの時間だからだ。特定の諸瞬間——特定の潜在的なもの——は、使命や命運を決するという意味において出来事となる。*Patefit*。瞬間とは出来事の時間である。というかむしろ、出来事の時・の・間である。時間の流れを、回廊として理解せねばならないようだ。諸瞬間とは、その回廊に沿って並ぶいくつもの扉であり、この扉を開くとどれも別の世界へと通じている。散歩中のペソアのように、われわれは完全性を垣間見て、「いっそう」のリアリティを感じる。スーリオの言葉でいうなら、それこそが実存の頂上であり、実存者を刺し貫くまばゆい尖端である。実存者は、連続性のない純粋な原子として孤立したままであり続けるのか。それとも、実存のほかの諸瞬間と結合し、おのれにあらたな建築的構成をあたえるのだろうか。

繰り返すが、こうした瞬間が決定的な役割を演じ、心をゆさぶってほかの観点へと開くことがある。[4] スーリオはこうした視点の顚倒の見事な事例をいくつか差しだしている。たとえば幽霊の話がそうで、復讐欲から生まれた幽霊は、おのれの現前の意味を自問するのだが、じぶんの愛した女への復讐をもう望んでいないことを悟ると、みずから虚無の世界へと帰ってゆくのである。

［ところで］じぶんの存在について真剣に自問してみるや否や、われわれはみな多少ともこの幽霊なのだ。なぜなら幽霊であっても、じぶんが理解されていると感じているなら、世界がじぶんに応答し、じぶんを支えてくれて、世界に参加していると日頃からおもえているなら、じぶんは何者なのかという問いは封じられているはずだからだ。つまり幽霊がこの問いを立てているのには、なんらかの理由があるはずなのである。ではいかなる理由か。それはある瞬間に、世界が幽霊にたいして応答するのではなく、幽霊のほうが世界にたいして応答する役目を引受けたということだ。するとまもなく幽霊の力は弱まってゆく。ちょうど難破して海に放りだされた男のようなものだ。かれはまず腹を立てたり、落ち着こうとしたりしながら、力をふりしぼり腕と足をリズミカルに動かして、本能的、衝動的に長時間にわたって泳ごうとする。なぜなら遭難の突発性と現実にとらえられ、そうするよう否応なく迫られるからだ。ところがふいに、じぶんが広大な海でひとり泳いでいることに気づく。そう悟った瞬間、とつぜんまったく力が入らなくなり、流れに身をまかせるほかなくなってしまう。ここにこそ、この視点の

顚倒にこそドラマがある。こうした顚倒は権利上いつでも可能で、じっさいにいつでも起こりうるのだ。いついかなる瞬間においても（DME, 102）。

ここでの出来事は難破することでも溺れることでもなく、視点の顚倒であって、つまりは泳ぐ男の実存平面にかかわる急激な変形である。かれはもはや同じひとではない。かれのうちで根本的な変化が生まれたのだ。すこしまえの瞬間にそうだったのとはちがって、もはやなにもわからず憤りながら泳ぐひとではない――ちょうど幽霊が、おのれの存在理由であった復讐欲を失ったように。建築的構成の視点からすると、こうしたあらたな観点の登場がかれの重心を移動させる。もちろん、日常の出来事すべての連鎖がある――出来事が日常的というのはつまり、心のうちにあらたな視点をいっさい導入しないということである。先述の子どもの母親と同じく、なんら特別なものを見ることもなく、同じ実存を続けることを除けば、なすべき特別なこともまったくない。

だが、いくつかの特権的な瞬間は、この連鎖を引き裂くのであり、潜在性の増殖によって深層でゆれうごく。潜在性が、いっそうリアルな実存の素描や約束をつくりだすのだ。[5]「じぶん自身にとっての契機、危機的な瞬間に、じぶんで出会ったとあなたは考えているようだが、むしろこの瞬間のほうからあなたに迫ってくるのだ。瞬間には、それそのものとして経験されるしかた、おのれ自身のリアリティを白熱させるしかたがあるのである」[6]（AA, 125）。心の歴史の外で噴きだす瞬間的な啓示というものがある。永遠が立ち昇るのであり、この永遠の観点のもとで、瞬間的にあまねくすべてが秩序づけられる。これこそスーリオの反ベルクソン主義である。スーリオの関心は、長期間の綜合が集約されたものとしての持続にはなく、崇高で形式的な瞬間、すべてが決せられる啓示にある。おわかりのとおり、こうした啓示が過去へと転落することは決してない。というのも啓示は、すでにわれわれ自身の永遠の未来をつくりあげているからだ。[7] スーリオの語るこの特権的な瞬間、リアリティがまばゆく輝く契機とは、出来事そのものなのである。

これが瞠目すべき出来事ですらあるのは、心のなかに魂を創造するからである。つまり「拡大原理」を、いっそうリアルな実存への欲求や要求を創造するのだ。拡張が生みだされる――拡張こそが魂そのものを構成する。心は、その土台とおぼろげに見える頂上とに分裂し、日常の状態と「崇高」な契機とに、世俗の生と聖なる瞬間とに分裂する。拡張こそが、偶発的に訪れる心の「偉大さ」を、あるいはすくなくともその魂の幅を生みだすのだ。失墜、浮上、拡張。魂はあらたな諸次元が出現することによって、心のなかに創造される。この意味で、たしかに「偉大な魂」はあるにせよ、いささかも特別な高貴さによるものではなく、もっぱら心のなかでの視点の拡張によって測られるのだ。心の日常的な観点が顚倒されるがゆえに、心のうちに魂が創造される。魂とはつまり、心がまだ手にしていないにもかかわらず、おのれ自身のあらたな次元として、心がまさに実存させねばならないなにかなのである。

一般的にいうなら、所与の実存のなかで、未完成のなにかや成就されていないなにかが知覚され、それが「拡大原理」を要請しはじめるとき、魂は存在しはじめる。つまりそうした実存のリアリティを増大させうるよりおおきななにか、より完成されたなにかの下絵が知覚されるとき、である。ひとつの存在のなかにこうした拡張が導入されるとすぐさま、魂はもたらされる。スーリオの挙げる身をもち崩した「おそろしい女」の事例を見てみよう。アルコール中毒者のかのじょは、じぶんの横で遊んでいる末っ子の息子にまったく注意をはらわない。ここには第一の「心的な主題」、連続的な音があって、それがかのじょの心の「主音（トニック）」に対応し、かのじょの実存の全般的な調性を決めている。けれども愛情への飛躍が起こると、この女性は子どもを腕に抱いてやさしい声で、別の世界からやって来たかのような子守唄を歌うのだ。このとき表現されているのは別の調性であって、いまや主音ではなく「属音（ドミナント）」である。かのじょの心は別の次元へと開かれる。「こうしたすべては、たったひとつの心的な身振りのなかで漠然と構想されたものだ――世界のこのふたつの部分を、自己のうちで分離し対立させておく身振りのなかで」(AA, 131 ; DME, 148)。この事例において問われているのは心だけでなく、魂でもある。とはいえ、心は地を這うようにあるのにたいして――魂は精神の上昇運動に対応するという意味ではない。魂はふたつの極のいずれでもなく、両極を分離しながら互いに関係させる隔たりの原理にあたる。魂は最小と極限とのあいだの距離とともに、この両者の調和的な関係を測るのだ。魂とは、心のなかに自己にたいする距離を創建する身振りなのである。「内面を拡張するある種の身振りのなかに、われわれはみなじぶん自身の魂の尺度というか、測定可能な幅のようなものをもっているのではないだろうか[8]」。

現実（リアリティ）とその潜在性とのあいだの拡張原理を魂と呼ぶなら、人間の心ばかりでなくすべての現実が、「魂」を所持しうることになるだろう。観察者は、アルコール中毒者の母親の心に魂を「見いだす」ことができるが、さらには心がないところにも魂を発見しうるのである。植物にも、鉱物にも、実存のいかなる断片にも。これはなんらかのアニミズムとも、同一化や投影の過程ともいっさい関係ない。逆に、おそらくあらゆる投影、あらゆる同一化が不可能になるときこそ、無数のもので満ちあふれる活気ある孤独のなかで、交感が生まれるのである。人間の心の世界を離脱して、人間ならざる世界、人間よりもちいさな世界との交感に入ってゆくのだ。書くという行為にともなう孤独を引きあいにだすデュラスは、その途中でふいに一匹の蠅の死を描写しはじめるのだが、まさしくそれこそが、死に対抗して闘う蠅のために魂を創造することこそが、書くという行為であるかのようだ。[9] スーリオの用語法によるなら、無意味な虫（主音）は、書くという行為をとおして生みだされる「拡大原理」によって、一種の叙事詩的な運命（属音）にまで高められる。どんなあかしえぬ秘密の交感によって、植物や鉱物に魂と生があたえられるのだろうか。ある種の生について、フランソワ・ルスタンの語ったことを一般化する必要があるのだろうか。「ある種の生が、人間的なものについて知っていたのは非人間的なものであり、吸収と排泄である。この生は、死ななければ周囲の環境と一体化できない。それは、おのれを形成するこの非人間的なものから身を守るために、動物、植物、鉱物のもつ人間以下のものや、まだ人間でないもの（しかし人間の条件であるもの）へと退避しなければならなかった」[10]。死なずにいるために、物質を生きさせること、物質とその「感情の運動」の中心に魂を創建することだろうか。[11] 物質が生命を宿し感覚しはじめるのだろうか、それともすべてが「魂」を失って、もはやなにも生命を宿すことはなくなるのだろうか。魂が創造されるのは、人間の心のためばかりでなく、動物、植物、鉱物のためであり、自然のあらゆる身体のためなのである。

魂を見いだすことは、このうえなく幼稚で感傷的で、わざとらしいものでさえありうる操作だ。だが、それがまさしく創建の操作になるのは、爾来取り組んでいる建築的構成からの呼び声を、よりおおきな実存にすることが問われるときだ。魂を見いだすことは、実存を拡大させることである。読解、視覚、情動の豊かさとは、よりおおきくより強度的なものになるのを見ることであり、ある種のリアリティのうちに魂の現前を見ることなのだ。じぶん自身のうちなる魂だったり、ひとつの作品が宿す魂だったりにたいして、これまで十分に誠実だったことがあるだろうか。われわれのうちに過大なものを見いだすひと、馬鹿としかおもえない者や面白くもない論文のうちに過大なものを見いだすひとは、われわれには見えないなにかを見ているのだろうか。それともこのひとは、馬鹿者があらわれさせるやいなや台無しにするなにかのうちに、別のものを見いだしているのだろうか。こうしたひとは、現実をしかるべきしかたで知覚していないといって、最初から肩入れしているといって非難されるだろう。とはいえこのひとは、存在しているものを見ていないわけではない。そうではなくさらに別のものを見て、その痕跡を見張り、その回帰を待ち望んでいるのだ。つまりこのひとは魂を見ているのである。この視点からすると、実存の促進はすべて、懐疑と「不安にたいする勝利」としてあらわれるのだ（DME, 118）。

魂の世界はきわめて不安定でもろい。魂はできあがるとすぐ消えてなくなってしまって、現象と同じくらい儚い。スーリオにしてみれば哲学には果たすべき課題があるのだが、それは現象を救うことではなく、現象のなかにある光の顕現(エピファニー)、存在の顕現(オントファニー)、神の顕現(テオファニー)、心の顕現(プシコファニー)といった、いつも消滅すれすれの儚い存在すべてを救うことである。「とりわけ心という領界でたえず観察されるのは、あまりに迅速ですばやく逃げ去ってしまうがゆえに、ほとんど把握できない創建なのだ。だからこそ、ときにわれわれはじぶんのために、瞬間的な魂を打ち立てる（というか、それはわれわれのうちでおのずと立ちあがる）。この魂たちの迅速で万華鏡のような入れ替わりは、よりちいさくもろい実存の幻を生みだす。だが瞬間的な魂は、われわれがこのうえなく簡単かつ日常的に創建している魂よりも、おおきな広がりと価値を帯びうるのだ」（DME, 128-129）。心的な生は、おのれが知覚するものをたえず実体化し、「存在化」するものだ。だがその存立性はしばしば、同じように逃げ去るものである別の存立性のために解体されてゆく。現象の儚さ、思考と存在化の不安定性、潜在的なものの準‐不在といった、その場かぎりのもろい実存様式が、事物の堅固で秩序化された世界のまわりを縁どっているのだ。

　こうした潜在的で潜勢的なリアリティはすべて、いまだ影たちの劇場をなしているにすぎない。それは「多少とも色彩豊かに塗られた屏風であって、おそるべき空虚を隠すこともできれば、眺望を隠すこともできるのである」（IP, 353）。じっさい、われわれの心を魅いているのが空想(キマイラ)の産物でないと、どうしてわかるだろうか。ある瞬間、いっそうおおきなリアリティを望む潜在性が垣間見えたとして、しかしこの潜在性が苦労する価値のあるものだと、どうして確信できるだろうか。「いいアイデアをおもいついた」はずなのに、結局つまらないものだとわかるという経験を、だれしもしたことがあるだろう。何時間、何日、何年も費やしたプロジェクトが最終的に無駄にならずに済んだのでなければ、よい選択をしたかどうかわかるはずもない。これこそ潜在的なものの「存在論的」な力である。たとえどれほどもろくとも、潜在的なものにはリアルなものの秩序をゆりうごかす潜勢力がある。リアルであったものがリアルであるのをやめ、いまだリアルでなかったものがリアルになる。幽霊や泳ぐ者の事例のように、ちょっと自問するだけで観点がひっくり返り、実存平面が崩壊してくずおれてしまうことだってあるのだ。潜在的なものには、問題提起的（ふたしか）なものの力がある。問題の力とは、その内的な緊張ではなく、リアリティの（再）分配のなかに問題が挿しこむ不確実性なのだ。もはやなにがリアルであるとされるべきか判然としない圏域にわれわれは足を踏み入れる。あらたな観点が闖入してくることで、所与の実存平面の秩序がゆさぶられ、実存の重心を移動させるのである。

それにしてもどうすればわかるのだろうか。ある特定の観点が幻ではないと、どうすれば確信できるのだろうか。まえもって知る手段はひとつもない。スーリオにとって唯一の解決策は、いくつかの潜在的なものの示唆にしたがってみること（そして、ほかのものを犠牲にできること）である。たえずリスクを冒さなければならない。「このうえない美を湛えた王国が（……）深遠なしかたで樹立されるのを見たければ、その王国があるのを前提することなく、むしろつくりださなければならない。王国を手に入れようではないか！　だが郷愁いっぱいに、混乱した夢に手を伸ばすだけで勝ち取れるものではない。もし獲得できないようであれば、歩みをとめることなく、遠くから王国に挨拶をおくる術を学ばなければならない。それは蜃気楼にすぎなかったのだ、と」(IP, 353)。影の世界から脱けだすためにはつまり、あらたなリアリティを「獲得」せねばならない。とはいえ、問題が消えてなくなるという意味ではない。たしかにじぶんがよい選択をしたのかどうか、自問することはなくなるにしても、問題は存続する。なぜなら、潜在的なものの「要請」に、たえず応答し続けなければならないからだ。われわれは潜在的なものにたいして、それにふさわしいリアリティを、十分な輝きをあたえられるのだろうか。ひとつの作品を充全たる自己保有に導くにはどうすればいいのか。ある実存様式から別の様式への移行は、つねに問題提起的なものだ(わたしの人生においてなにが上手くいっていないのだろうか。この第一ヴァージョンに、このデッサンに欠けているのはなんだろうか、なんでこんな非現実感を抱いているのだろうか、など)。同様に、異なるふたつの実存様式を結合させようとすることもまた問題提起的だ。[12] 問われているのは潜在的なものを別のしかたで実存させること、幽霊に肉体をあたえることであって、つまりはある存在を、それが属する世界とは別の世界のなかで実存へと移行させることである。別のいいかたをするなら、叢雲はコスモスへと生成変化しなければならないのだ。

この点をめぐって、スーリオはたえず「獲得」、保有を語る。リアルなものは、かれにおいて保有によって定義されるとすらいえるだろう。実存の問いが存在様式にかかわるとするなら、保有の問いはリアリティの度合にかかわる。ある実存がおのれを「保有」するほどに、その実存はいっそうリアルなものとなる。この観点からして、『魂をもつこと』という題名は意味深長である。くわえていうなら、同書はいくつかの保有様式をすばやく描きだすことからはじまるのだ。

魂をもつことは、じぶんのもたない豊かさを獲得することであり、いくつかの非現実的な生を積極的に生きることであり、自己よりもおおきなものになることだ（……）。それは一箇の充実した宇宙をつくりだし、みずからこの宇宙になることだ。この宇宙を構成しているのは、実体なき出来事や、他動的な操作や、変わりやすい現象性にほかならない。人間についてわずかなりとも具体的な知識があるなら、つぎのことを示すには十分だろう。すなわちだれしも事情は同じようなものだが、その割合にはおおきな違いがあるのだ、と。ほとんどのひとは、じぶんの有する宇宙的な次元のほんのわずかな部分しか、（こういってよければ）真の意味では活用していない。そのうえ一定数の人たちはこうした状況に完全に甘んじて、向上しようとすることもなく、じぶん自身の狭い領域に閉じこもっている（……）。ほとんど魂などないようなものだ（……）。それとは異なるのが開かれたひとたちだ。ただし、漠然としたものや空虚に向けてあまりに大っぴらに開かれていると、なにも活用できず、なにも獲得できない。多くの魂があったとしても、あまりにか弱く不整合で曖昧模糊として、かろうじて保有されているにすぎないとするなら、結局のところ無に等しいのだ（AA, 3）。

スーリオにあって保有の概念は決定的な役割を演じる。それは実存のリアリティを計測するのだ。だが保有することは、ある財やある存在を領有することではない。領有（appropriation）がかかわるのは、私有財産（la propriété）ではなく、固有のもの（le propre）である。領有という動詞は、代名態〔再帰動詞〕ではなく、能動態でもちいられるべきものだ。保有することは、〈じぶんのものにすること（s'approprier）〉〈代名態〉ではなく、〈……のものにすること（approprier à …）〉〈能動態〉、つまり、固有のものとして実存させることである。たしかにスーリオは時折、まるで代名態を維持するかのように、心はじぶんを保有しなければならないと主張する。だが、このことがじっさい意味しているのは、心はじぶん自身のあらたな次元（たとえば道徳的、美学的、政治的な次元）として知覚されるポテンシャリティに、身を捧げなければならないということだ。心があらたな次元をじぶんのものにする、というべきではない。そうではなく逆に、じぶんの実存をあらたな次元のものにする、というべきなのだ。さもなければこれらの次元が、心のうちにあらたな自己を産出するという事態を理解できないだろう。

この意味からすると、領有することは、じぶんひとりでは実存しえないものに自律性をあたえることである。未完成性こそが構成要素であるがゆえに、そもそも実存したり、別のしかたで実存したりするために他者を必要とするものに、自律性をあたえることである。[13] 潜在的なものが「自己」保有するのは、自律的なリアリティを獲得するときだ。この自律的なリアリティは、潜在的なものの建築的構成（ないしはその内的な視点）を表現するものであって、潜在的なものが実存――完成された作品――としてひとり身を持すことを可能にしてくれる。だがそのために潜在的なものは、このあらたな実存様式への道を示唆してくれる創造者にしたがわねばならない。潜在的なものがおのれ自身を保有するための条件は、自身を自律的なものに変えてくれる媒介者や仲介者を発見することである。一種の寄生というか、共生関係のようなものだ。潜在的なものが実存するには、宿主が必要なのである。逆にいうなら、創造者は潜在性の宿主にすぎない。

潜在的なものをめぐる事情は、ベルクソンにおける無意識のなかで「記憶が舞う死の舞踏」のようなものだ。夢をめぐる論考においてベルクソンは、プロティノスから着想を得ながら、生ける身体の上空を舞う魂たちの叢雲として記憶を描写する。魂はじぶんに類似し、じぶんの望みに応えてくれる身体によって引き寄せられるのを待っている。そして魂は身体のほうへと傾くと、落下を続け、実存へと移行する。記憶に固有の吸血鬼性のようなものがあるのだ。魂が身体を探し求めるように、記憶もまた生へと回帰するために、じぶんと類似する感覚を探し求めるのである。「幽霊としての記憶は、おのれに血肉をもたらす感覚のなかで物質化し、ひとつの固有の生を営む存在となる」[14]。ベルクソンの記憶理論を、観念論と見なすのはおそらく誤りなのだ。むしろそこに吸血鬼性を見いだすべきであって、それは名高い生の飛躍を二重化する亡霊の飛躍のようなものだ[15]。

スーリオにあっても状況は似ている。潜在的なものは、おのれに欠けている自律性をあたえてくれる過程を待ち望んでいるのであって、その自律性によって潜在的なものは、即自的にも対自的にもついに完成されたものとして、その身ひとつで実存しうるようになるだろう。問題はつぎのもの以外にはない。いかにしてこれら潜在的なものに自律性をあたえるのか。いかなる過程によってか。スーリオは、この過程をアナフォラと名づける。「われわれがアナフォラと呼ぶ存在の規定は、リアリティの継続的な増進のことである。アナフォラの促進という操作は、創建された存在が単独性（あきらかさ）に向かうよう促進することに直接かかわるのである」（IP, 10n）。問われているのは、ほとんど実存していない潜在的なものを、いっそう明白なリアリティに向かわせることである。あるいはスーリオの言葉をもちいるなら、潜在的なものを、それが下絵の状態にとどまっている暗き底から、完成というあかるい光のもとまで連れてくることである。その定義によるなら、アナフォラとはつまり強度化の過程なのだ。[16]「あらたな形態をあたえることはいつも、アナフォラの一段階の法則となる。どんなものであれアナフォラの成果は、あらたな造形を提案する理由となるのだ」(DME, 108)。

強度化とは、あるときは同じ実存平面にとどまることであり、またあるときは実存様式の根本的に異なるふたつの平面を結合させることである。複数の様式を、多元様式的なひとつの存在のうちで結合させねばならない。[17]ある実存平面には、事物と心がある。別の平面には、潜在的なものと明晰な点がある。ある平面にはアルコール中毒者の習慣があり、別の平面には至福の子守唄がある。ある平面には夕食の会話があり、別の平面には物語の萌芽がある。これらは《存在》に走る深い亀裂のようなものであって、この亀裂を取り囲むふたつの平面のそれぞれの未完成性を示しているのだ。アナフォラは、ふたつの平面同士を隔てる距離を駆け巡りながら、この距離を縮めてゆく。アナフォラはふたつの平面を結合させながら相互的な完成へと導くのである。それはちょうど彫刻家が、粘土の塊りからフォルムの輪郭を決めてゆくのと同時に、別の平面では、出発点となった潜在的な計画が明確になってゆくようなものだ。当初は現実的なものと潜在的なものはどちらも未確定で、双方ともに下絵の状態だった。[18]両者を互いのうちで、相互的に決定するのが、アナフォラの過程の役目なのだ。アナフォラとは、「リアリティの継続的な増進」によって「存在を規定する」過程であり、それによって全面的に——あるいはほぼ全面的に——、両者を隔てる距離が廃棄される。「距離はたえず縮まってゆく。作品のかくなる進展とは、製作されるべき作品と製作された作品という、作品のもつふたつの実存上の側面が徐々に近づいてゆくことなのだ。鑿の最後の一振りがなされるその瞬間に、あらゆる距離が廃棄される。肉づけされた粘土はちょうど、製作されるべき作品を映した忠実な鏡のようなものであって、製作されるべき作品が、ひと塊りの粘土として具体化されたかのようだ。それらはいまや、たったひとつの同じ存在をなしているのである」(DME, 212)。とはいえ、鏡のイメージがあるからといって勘ちがいしてはならない。作品はその実現に先立って実存していたわけではないのだから、ひと塊りの粘土は、作品を再現した似姿(イメージ)ではない。[19] じっさい、作品はイメージをもたない。というかむしろそのイメージは、作品が創造されるにつれてできあがってゆくものなのだ(DME, 212)。

とはいえ依然として、この過程にはたえず失敗がつきものだし、ふたつの平面のあいだの距離が完全に廃棄されることも決してない。あらゆる作品は同時に失敗と成功であるといわれるだろう。[20] 仮にそうだとして、では失敗と成功はどのような比率になっているのか。どこまで継続し、さらなる追加や削除をおこなうべきか。「画竜点睛を欠くがゆえに、すでにほとんど満足いくまで仕上がっている作品が失敗に終わってしまうという不安」にかられて、手をくわえすぎてしまい、すべてを台無しにしてしまう可能性があるのではないか(DME, 214)。こうした問いは「仕上げ」とその細部ではなく、作品の完成にかかわるものであって、つまり作品は最終段階の身振りひとつで、台無しになる危険だってあるのだ。[21]「アナフォラの線を狂わせる」危険はたえずつきまとう(IP, 314)。潜在的なものの要請に、しかるべきしかたで応答することができるだろうか。潜在的なものにたいして、それにふさわしいリアリティをあたえることができるだろうか。どう振舞うべきだろうか。すでに見たように、潜在的なものはその問題提起する力をとおして、われわれにこうした問いをたえず突きつけてくる。これらの問いは「アナフォラの促進」行為についてまわり、あらゆるアナフォラを実験過程に仕立てあげるのである。

実験することとは、ずっと定式化されずにいる問いに、なるべく巧みに応答しようとすることだ。提起された問いがいかなるものであったかがわかるのは、それに応答するときだけである。「作品はそこでわれわれを待っている。もしわれわれが作品を取り逃がすなら、作品のほうもわれわれを見放すだろう。われわれが正しい答えをだせなければ、すぐに作品は駄目になって逃げ去り、遠く冥府へと舞い戻ってしまう。そこからようやく脱出しはじめたところだというのに。こうした残酷なまでに謎に満ちたしかたで、作品はわれわれに問いかけてくるのであり、同様のしかたで作品はわれわれに返事を寄越すのである——きみは道をあやまったのだ、と」(DME, 209)。作品とはスフィンクスなのだが、問いの性格すらわからぬまま答えなければならないスフィンクスなのだ。唯一残された選択肢は手探り、反復、前進によって、潜在的なものの諸次元を探ることだけであって、だからこそアナフォラはたえざる実験となる。一つひとつの描線、一つひとつのフレーズ、一つひとつの身振りは「実存の提案〔命題〕」のようなものであって、ふたつの平面はそれぞれ独自の要請にもとづいて、この提案に同意する——あるいは同意しない——のである。「各瞬間に、芸術家が行為をおこなうたびに、というよりむしろ芸術家がおこなう一つひとつの行為によって、［進行中の作品］は生きもすれば死にもするのだ」(DME, 205)。

（1）DME, « Du mode d'existence de l'œuvre à faire », p. 195-196. 同様に、論文« La conscience » (art. cit.) を参照のこと。そこでスーリオはこの仮説を、コギトがそれをとおしてあたえられる明証性と明晰さに対立させている。

（2）DME, 152.「ある意味からすれば、現象は充足した疑いえない現前であって、必要とあらばこの現前をもちいて、一箇のまったき宇宙をつくりあげることができるだろう（……）。同様に、出来事は経験における疑いえない特異な絶対であって、これをもちいて同じように、一箇のまったき宇宙をつくりあげることができよう。それはおそらく存在的なものの宇宙と同じものだが、しかしまったく異なる実存上の基礎をもつはずだ」。

（3）J. L. Borges, « Tlön Uqbar Orbis Tertius » in *Fictions*, Gallimard, coll. « Folio », 1980, p. 42.〔J・L・ボルヘス「トレーン、ウクバール、オルビス・テルティウス」、『伝奇集』所収、鼓直訳、岩波文庫、一九九三年、二二三頁〕。

（4）スーリオは瞬間概念をあつかった論文を執筆している。そこでの生の定義は、「合理的にいうなら、諸瞬間の存在じたいののちに、その諸瞬間を組織化すること」である。Cf.*Les Études philosophiques*, 2e année,n°. 2/3, nov. 1928, p. 96-102.

（5）「たとえばひとつの瞬間が真の意味で実存するのは、その瞬間がもっているとされる潜在内容すべてが、存在への固有の権利と、完全かつ鋭敏な実存の種類とを同時に充全なしかたで表現するときだけである」。« Le hasard, les équilibres cosmiques et les perfections singulières », *Les Études philosophiques*, 15e année,n°. 1/2 (juin 1941), p. 14.

（6）同様にAA, 38参照。「魂はその欲求状態、欲望、不満足の実感によって、観点をおおきく膨らませる。これらすべてが魂の次元をあらわしているのだ」。

（7）OD, 101.「それがあとに残してゆくもの、あとまで存続する残響すべてのなかで、ずっと残り続けるのは（……）、それが存在しなかったことはありえないという事実を示すものだろう」。

（8）AA, 131. Cf. *Ibid*.「心にかかわるふたつの主題、構造的に優勢なふたつの主題のあいだの調和的な対比は、魂の広がりを創建し計測するとともに、この建築的構成上の対立軸をもとにして内面的な広さを描きだすのである」。

(9) M. Duras, *Écrire*, Gallimard, 1993.〔マルグリット・デュラス『エクリール　書くことの彼方へ』田中倫郎訳、河出書房新社、一九九四年〕。

(10) F. Roustang, *Influence*, Minuit, 1991, coll. « Reprise », p. 177.

(11) デュビュッフェは、物質のもつ「パトス的な運動」と「内的な衝動」について語っている。*Prospectus et tous écrits suivants*, III, *op. cit.*, p. 103. 鉱物に魅せられた作家としてカイヨワにくわえて、洞窟の秘密の生、洞窟のなかの乳白色の白い世界、「あかるく輝くことのないフラットな光に照らされた」世界に魅せられた、ピエール・ガスカールの奇妙な物語が挙げられるだろう。Pierre Gascar, *L'Arche*, Gallimard, 1971. ガスカールは思考を非人間的世界と交流させるのであり、この世界は思考を深遠な夜へと、夢以前の夢のなかへともぐりこませる。そこで生みだされるのは、この洞窟に棲みつく盲目の透きとおる動物たちのような光なきフォルムなのだ。この魅惑は人間世界からの疎外と切り離せない。「あまりにおおきな精神的な窮乏と、あまりに深い孤独の状態（……）それがあなたを一箇の壁の兄弟にするのだ」。

(12)「フォルムじたいに説明は欠けていない。フォルムはおのずと産出される。フォルムの現前とはいつも、問題の見事な解決なのだ。それは精神的なさまざまな要請の総計であり、それによって存在が隆起するのだ」。« Sur les moyens et la portée d'une esthétique de la grâce », *Revue de Métaphysique et de Morale*, t. 43, n° 2, avril, 1936, p. 298.

(13) AA, 6とDME, 138においてスーリオは、自己によって実存する存在（自存性――*a se*）と、他者によって実存する存在（他存性――*ab alio*）とのあいだのスコラ的区別を取りあげなおしている。

(14) H. Bergson, « Le rêve », *L'Énergie spirituelle*, PUF, rééd. 2009, p. 97.〔H・ベルクソン「夢」、『精神のエネルギー』原章二訳、平凡社ライブラリー、二〇一二年、一四五頁〕。

(15)『創造的進化』の生気論と訣別する記憶の吸血鬼性について、cf. C. Riquier, *Archéologie de Bergson*, PUF, 2009, p. 359-360.

(16)それゆえたとえば意識にかんして、« La conscience », art. cit., p. 575.「意識の第一の理想――明晰性。そしてこの理想は強度的なものだ」。

(17)DME, 166.「われわれは単一様式のアイデンティティを、丸められたりしわくちゃにされたりしているひとつの実存平面の湾曲のようなものに譬えなければならなかった。このとき、切り離されていたものが自己自身と接触し、そうして相互浸透が起こり、同じひとつの存在者の実存へと統合されてゆくのだ。だがいま問われているのは、ふたつの実存平面を湾曲させ、接触と相互浸透へと導くことである。それによって同じひとつの存在が同時に、ふたつの平面上に場所を占めるようになるのだ」。同様に、DME, 109 参照。

(18)DME, 109.「だがこの実存が増大するのは、（……）ふたつの様相が最終的に合致し、ひとつの存在として一体をなすときであって、こうした存在は作業を重ねながらすこしずつ創出されてゆくのだ。先の予測がいっさいできないこともしばしばで、最終的な作品には一定程度のあたらしさ、発見、驚きがいつもある。――わたしの探していたのはこれだ、これをつくることがわたしの運命だったのだ！　試みや失敗、努力、正しかったり間違っていたりする判断につきまとう歓びや失望、報酬や罰」。

(19)I・スタンジェールとB・ラトゥールによるこの事例の分析を見よ。DME, 6-7.

(20)DME, 212.「……どのようなものであれ、あらゆる実現には失敗という次元がつねにつきまとう」。たとえばジャコメッティの指摘を参照のこと。*Alberto Giacometti*, Musée d'Art Moderne de la Ville de Paris, 1991, p. 415.「わかってはいるのだが、じぶんの見ているとおりにたとえば一箇の頭を造形し、描き、デッサンすることがまったくできない。わたしが試みているのはそれだけだというのに。せいぜいできあがるのは、じぶんが見ているものの冴えない似像くらいのもので、だからわたしの成功はつねに失敗のもとにあるし、おそらくいつだって失敗の等価物にすぎない」。

(21)DME, 213.「完成の明白さを、どんな製作の完了とも、産業や商業の用語で俗に「仕上げ」と呼ばれるもののスタイル論とも取り違えないようにしよう。ときに芸術家たちは粗雑な混同に陥ってしまいがちなのだが、下絵やデッサンのほうが完成した作品より優れていることだってあるのだ」。同様に、IP, 355 sq. 参照。

5 創建について

スーリオにとって創建行為は、なにに存しているのか。創建はアナフォラと同義語ではない。アナフォラが指しているのは、実存がリアリティを獲得する強度化の過程のことだ。これにたいして創建が指しているのは、実存が「形式性」や堅固さを獲得する操作のことである。スーリオは、あまりに漠然としているようにおもえる産出や創造よりも、創建という語を好む（IP, 73n）。創建することはちょうど制度、儀礼、儀式を創設するのと同じように、ある存在の実存を確固たるものにすることである。創造することは、制度化すること、ないしは形式化することである（IP, 73n）。そして形式化することは、いまだ「錯綜した」状態で、潜在的な存在のなかに畳みこまれていた建築的構成を実存へと移行させることであり、その構造を展開してみせることなのだ。この意味で、なぜ創造より創建のほうが重要なのかわかるだろう。「見方によっては、人間はなにも創造しない。自然さえもなにも創造しない。蕾の開花は薔薇を創造するわけではない。物質的かつ因果的なその条件すべてはそこにあったものだ。フォルムだけがあたらしい。あたらしさとは非物質的なものであり、当然、非物質的なものだけがあたらしいものなのだ」（IP, 73-74）。

たとえばサロートが語っているのもこうしたことだ。じぶんは「トロピスム」を創造したわけではない。なぜならすでにフロベール、ドストエフスキー、ヴァージニア・ウルフのなかにあったものに出会ったのだから。だが、かのじょはそれを別のしかたで形式化したのであり、あらたな物語類型をとおしてあらたな「形式性」をもたらしたのだ。(1)

これは、事後的に発見される先駆者という有名な問題である。たしかに偉大な作品はその先駆者を創造する。だがまさに、先駆者に「欠けている」のは、後継者において実現される形式化なのだ。いくつかの側面はそこにあったが、萌芽状態ないし「錯綜した」状態にとどまっている。あたかも作者は、それが秘めるポテンシャリティすべてを探査しなかったかのようだ。この意味で創建することは、「ある建築的構成術」を展開することなのだが、「建築的構成術とは秩序づけ、構造化するものであり、つまり相互に絡みあい融合的に浸透しあっている当初の所与を腑分けするのであって、所与をもとのまま放置しておくことはない。こうした建築的構成術はこの世界のなかに、もともとそこには存在していなかった別の豊かさを描いてみせるのである」(IP, 389)。この腑分けによって、実存は同時に広がり、構造化、存立性を手にするのだ。それはちょうど一枚のタブローができあがってゆくにつれて均衡を獲得し、タブローを構成する色彩や線をともに成り立たせてゆくようなものだ。実存はまず、おのれを創設する形態上の骨格を獲得するのであって、骨格が実存を構成するのではない。

同様のことは、ウジェーヌ・デュプレエルの作品が差しだす事例にも見てとれる。この点にかんして、かれの思想はスーリオにきわめて近い。デュプレエルは、どのようにして社会集団は形成されるのかという問いに答えるために、社会野における慣習の概念を分析する。かれの記述する第一の契機では、共通の性向にもとづいて任意の個人たちが集団を形成しはじめる。これはまだかなり脆弱な集団であって、個人同士が安心して頼りあうことはできない。いかなる習慣も獲得されておらず、いかなる儀礼も、いかなる規則もなく、ただ同じあたらしさが反復されているだけだ。調和は暗黙のままで、ほとんど「強化」されていない。つぎにやって来るのが本来の意味での慣習の契機である。このとき集団は、「明示的な規則をもつ形式的に整った」ものとなる。[2]人びとは習慣を身につけ、儀礼が創造され、規則が口にされる。こうしてデュプレエルは慣習を、ひとつの強化されたものとして、あるいは、さまざまな強化されたものからなる体系として定義する。ところで慣習を堅固なものにするのは、その形式的性格である。[3]この意味で、慣習はなにも創造していない。なぜなら集団は、まさしくインフォーマルなしかたですでに実存していたからだ。だが別の意味からすると、慣習はなにかあたらしいものを創造している。それが創造するのは慣習の「形式性」であり、つまりは強化作用である。集団は「以後、いっそう仔細に規定され、いっそう内的でもあるなにかによって、すなわち個々人のさまざまな気質を形式的に調整するものによって、維持されることになる」[4]。慣習とは、個人間の関係全体を統治する建築的構成の展開である。デュプレエルにとってもスーリオにとっても、形式的なものは存立性の根拠（レゾン）なのだ。

　別の事例、すなわちスーリオが特権化した哲学の創建という事例を援用することもできるだろう。じっさい、哲学は数ある事例のひとつではない。なぜなら哲学がおこなっているのはもっぱら、コスモスを創建することだけだからだ。[5] あらゆる哲学は、宇宙論的な創建である。「哲学者はカオスを篩にかけ純化する。カオスを秩序化する。あらたにカオスをひとつの世界に仕立てあげようと模索するとともに、あらたな宇宙性（コスミシテ）のために旧来の枠組を破壊する」(IP, 51)。哲学者たちもまたインフォーマルな基礎から出発し、それを最高度の形式性へと導いてゆく。哲学言説は「最小のもの、未規定な存在、たんなる存在者の存在性（*entium entitas*）から、全面的に規定された存在、すなわち完璧に開花した存在へ、最大限の存在へと向かう」(IP, 93)。創建行為というまさしく哲学的な「身振り」とは、実存たちのこうしたあらたな秩序づけであり、実存たちが徐々につくりあげてゆく諸関係の網目であり、ひとつのコスモスのなかで実存たちが相互に制限しあい互いに強化しあうしかたである (IP, 402)[6]。先述したような「至福の瞬間や束の間の熱狂」(IP, 394) をとおして啓示されるミクロコスモスに、哲学者はとどまってはいられない。「いまや問われているのは、瞬間がもたらす束の間の鋭いなんらかの強化に向かって矢のように進むことではなく、複雑で豊饒なネクサスのなかで、他者たちとともにおのれ自身を創建することなのだ」(IP, 395)。問われているのは、カオスからコスモスを生みだし、それに基盤をあたえることである。

とはいえ、スーリオは遠近法主義を放棄したわけではない、むしろ逆である。各々のコスモスは視点の表現なのだ。「あなたは、或るリアリティのほうへと向かうように一箇のコスモスを決定づける。あなたは、それをほかとは異なる特異なコスモスに仕立てあげる。あなたの打ち立てるコスモスは、或る角度から眺められた存在ではなく（……）、或る創建によって打ち立てられたものであって、この創建のなかにあなた自身も身を置いているのだ。聖アウグスティヌスの世界、スピノザの世界、ヘーゲルの世界は同じものではない」(IP, 334)。それぞれの哲学は「視点の法則」にしたがう。ただしここでいう視点は、「作者の」視点ではなく、あらゆる哲学の構造的原理——ないし形態原理——であって、徐々に規定されてゆく観点にしたがって、コスモスを秩序化してゆくのだ。[7] 視点は、それが秩序化するものに先立って実存することはないし、視点が秩序化するものも、視点に先立って実存することはない。両者は共同して発展してゆくのだ。「ここでの視点は内的である。作品は自身に固有の建築的構成術によって、おのれ自身とともに、おのれのうちで、こうした視点の規定を獲得するのだ」(IP, 247)。スーリオはこうした構造の不変項を数えあげることができるとさえ考えてもいて、まるで哲学の形式的定義を提案しようとしているかのようだ。[8] かくしてスーリオ哲学の多彩な特徴としての多元主義、遠近法主義、形式主義がふたたび見出されることになるだろう。

　こうした不変項とはなにか。まず、先ほど見た視点の法則があって、決定や決断の法則と呼ぶことができるだろう。それは、ひとつのコスモスの進展や構成がしたがう秩序であり、作品のあらゆる段階で否応なくおこなわれる決断の数々である。なぜなら、あるひとつのコスモスがどれほど壮大なものだったとしても、そのなかにあまねくすべてが参加できるわけではなく、諸々の可能性をたえず犠牲にしなければならないからだ。[9] つぎに、意義深い対立の法則がやって来る。それは、さまざまな哲学を中心的な極性にもとづいて秩序化するものだ(プラトンにおける《同》と《他》、デカルトにおける思考と延長、カントにおける物自体と現象、ベルクソンにおける持続と空間など)。

あらゆる内的な二元性を、哲学は自己構成のために必要とする。この法則は、先に定義したような意味での魂を、哲学がもっていることを示す証しである。哲学は、主音と属音をともなう内的な拡張によって活気づく。哲学の許容しうる葛藤こそ、その魂のおおきさや幅を測るものだ（IP, 296）。哲学はおのれのコスモスを破裂させることなしに、そのコスモスのなかにどんな対立を維持しうるだろうか。

論理的にこのあとにつづくのが媒介の法則であり、まさしく対立する極のあいだの空間を埋めるものである。ちょうどドラクロワが、あまりに激しく対立しあう黄と青のあいだに、ピンクを一筆くわえるようなものだ（IP, 298）。重要なのは対立物を和解させることよりむしろ、中間的で、混淆的で、真ん中にある存在を創造し、間隙に棲みつくことである。模範的な事例はおそらくパスカルだろう。かれは観点の対立（ふたつの無限、みじめさと偉大さなど）を増殖させることで、たえず不均衡を創造する。そしてこのめまいに基盤をあたえるべく、準拠となる中心を要求するのだ。たとえば媒介となる超自然的な点としてのキリストであり、中心を失った世界における中心的な形象である。[10] これら三つの法則にくわえて、力動的な逃避の法則、ないしは締め括りの法則を追加しなければならない（この法則が導入するねじれによって、作品はおのれ自身の完成を逃れ、別の秩序の次元へと開かれる。つまり、その作品のうちにふくまれてはいないが、作品がおのれ自身の完全性に閉じこもるのを妨げる異邦の次元である。それはおそらく、あらゆる哲学を引き延ばしてゆく書かれていない部分なのだ）。さらには、哲学的な破壊の法則もある（別の哲学的星座に由来する古色蒼然たる諸概念を破壊することが想定されている[11]）。

これらの法則――決定、対立、媒介、逃避、破壊――はいずれも、形式的な「身振り」に対応している。ちょうど哲学史から借りた事例が示しているように、形式と特殊な内容はさまざまなしかたで、これらの身振りを満たしにやって来るのだ。アナフォラはまさにこれらの法則にしたがうことで、ひとつのコスモスを創建し、その諸部分を強化しようとする。ひとつの哲学ができあがってゆくにつれ――これはあらゆる作品に当てはまることなのだが――、強化の問いは差し迫ったものとなる。なぜなら逆説的なことに、構築されるものがより脆弱になってゆくからだ。「あらたな操作はどんなものであれ、いっそう直接的で具体的な危険をふくんでいる。すなわちアナフォラの線を狂わせるという危険であって、たったひとつの誤りでせっかく具体化してきたものが壊れて、ばらばらになり、台無しになるのを目撃する羽目になるのだ（……）。芸術家にはこうした不安はお馴染みのものだ」（IP, 314）。形態原理は、作品のあらゆるかたちをささいな細部に到るまで統御し、堅牢さを保証するものである。

創建は基盤をもたらす。だが創建することは、根拠づけることではない。問われているのは同じ「身振り」ではない。根拠づけることは、先立って実存する源泉、真理や知解可能性をあたえる源泉――ちょうど光の源である太陽のような――へと、あらゆる存在を連れ戻すことだ。根拠そのものは真でもなければ知解可能でもないが、まえもって存在している。なぜなら根拠こそが、あらゆる真理とあらゆる知解可能性の源泉だからだ。この意味で根拠は、根拠づけられるものにたいしておのれが課す形式と切り離せない。根拠づけられることは、その思考、判断、言表を、真なるものや知解可能なものの形式にしたがわせることだ。根拠は、（超越的なものであるとき）先立って実存する《形相》を課してくる。あるいは、（内在的なものとなるとき）アプリオリな《条件》を指定してくる。前者の場合、根拠は真理の形式を課してくる。後者の場合、真実性の条件を指定してくる。従属が模倣、分有によってなされようが、条件づけによってなされようが、いまはほとんど重要ではない。肝腎なのは、根拠づけられるものが、根拠なしではもちえないような合法性と形式を、根拠から受けとるということである。

なぜなら根拠は、たんに真理や知解可能性の源泉であるばかりでなく、合法性の源泉でもあるからだ。根拠は、真なるものや知解可能なものの形式をあたえるばかりでなく、実存にたいしてそれに見合う合法性をあたえるという意味で、権利をも賦与するのだ。これこそ、根拠の「善良さ」の証しである。根拠がこのうえなく立派な存在を合法化し、啓発し、その行動を導くのだとすれば、どうして「善良」でないことがあろうか。この意味で、根拠は法と同等の力をもつのである。そしてこの力は、根拠づけられるものにたいして実効的に行使されるのであり、それによって根拠づけられるものはたわみ、曲がって、向日葵が太陽のほうを向くように、根拠のほうへと向きを変える。根拠づけられるものは、法によって要請される形式への従属の度合におうじて、おのれに帰せられる合法性の分け前を受け取るのである。逆にいうと、根拠づける行為から漏れるものはすべて非合法なものとして把握されねばならず、つまりは実存する権利を剝奪されたものとなるだろう。存在のしかたもふくめて、である。なぜなら根拠は、存在よりむしろ、存在のしかたについて判断を下すからだ。

創建することは、根拠づけることといかに区別されるのだろうか。根拠を打ち立てる行為があるとして、しかし根拠は権利上、その行為に先立って実存する。根拠は、おのれが根拠づけるものの外部にあるか、それより高次にある。それにたいして創建は、おのれが創建するものに内在する。創建はじぶん自身の身振りだけでみずからを支えるのであり、創建に先立って実存するものはなにひとつない――スーリオの「身振り」の哲学はここから生ずる。換言するなら、根拠づけることは先立って実存させることなのだが、そのいっぽう、創建することは実存させることであって、ただしある特定のしかたで――そのたびごとに（再）発明されるしかたで――実存させることなのだ。[12]「実存することはつねに、なんらかのしかたで実存することだ。実存するしかたを、すなわち特別で特異であたらしい独創的な実存するしかたを発見すること。それこそじぶんなりのしかたで実存することなのである」(IP, 367)。もはや実存は外部の光源から光を受けとるのではない。そうではなく、暗き深層とあかるい頂上とのあいだに実存が描きだすアナフォラの過程のただなかで、光をみずからつくりだすのだ。混乱のもとになりうるのは、スーリオが『哲学の創建』において、根拠づける行為を、創建の身振りと見なしているという点である。だがそうするのはまさに、根拠の先行的実存そのものを、ある「身振り」のなかでまず打ち立て、創建しなければならなかったからなのだ。それによって哲学は、スーリオにとって一箇の「芸術」となる。各体系の起源には、当の体系の建築的構成を展開してみせる壮大な身振りがある。[13] 哲学者とは、必然的な先行的実存の創造者なのである。

こうした身振りが重要なのは、それがあらたな実存様式を創建するばかりでなく、権利を創造するものでもあるからだ。外的な根拠ではなく、この身振りの広がりによって、ひとつの実存様式は合法性を獲得するのである。実存様式はみずからの手でじぶん自身を正当化する。というかむしろ、おのれのリアリティを増大させる内在的な身振りによって正当化される。スーリオが創設〔制度化〕や創建といった術語——法哲学と芸術哲学のいずれにも属する術語——を好むのは、ある種の実存は、おのれをいっそうリアルにする別の実存様式への権利を要請するからだろう。「あらゆる存在は、じぶんが有する存在への内的な権利に応じて、この権利をもとにして、おのれ自身を打ち立てるのである」(IP, 402)。創建することは、こうした権利を主張し推進することである。それは、ある時空間を占めるしかたを合法化することだ。繰り返しになるが、合法性はもはや外的な根拠や高次の根拠に依拠するのではない。そうではなく各々の実存が、じぶんのリアリティを増大させることによって合法性を獲得してゆくのである。ひとつの実存がじぶんの建築的構成を肯定し展開させ、規定を豊かにし、「輝き」を獲得するにつれて、徐々に合法性は獲得されてゆく。

したがって創建することは、いまなお未完の実存たちの弁護士に、スポークスパーソンに、あるいはもっとうまくいうなら、実存支援者になるようなものだ。この未完の実存たちが実存するのをわれわれが支援するように、そうした実存たちもわれわれが実存するのを支援する。われわれは、この未完の実存たちの要請の本性を聞き届けるとき、この実存たちと共同戦線を張ることになるだろう。あたかもその実存たちが増幅し拡大することを、すなわちいっそうリアルになることを要求しているかのように。こうした要請を聞き届けること、この実存たちのなかに未完のものを見いだすこと、それは必然的に、その実存たちの側に立つことである。それこそ、実存するしかたという視点のなかへと入ってゆくことなのだ。それはたんに、この実存するしかたが見ている場所から見るというにとどまらない。それはなによりまず、この実存するしかたじたいを実存させることであり、その次元を増大させたり、別のしかたで実存させたりすることなのである。「芸術と哲学の共通点とは、両者ともこうした存在たちを打ち立てることを目指しているという点だ。この存在たちの実存は、実存への権利の鮮やかな証明のようなものによって、おのずと合法化される。この権利は客観的な輝きによって、創建された存在の極端なリアリティによって肯定され確証されるのだ……」(IP, 67)。スーリオは芸術家、哲学者、学者を弱き実存たちの弁護士と見なしている。すなわち別の様式で実存することや、なによりまずリアリティを獲得することを要求する、これら実存すべての弁護士と見なすのである。

スーリオが、実存することの極限に位置するこれらの現象にたえず立ち戻るのは、十分な重要性がそれらにあたえられていないからだ。おそらくかれは、その実存が一度も保証されたことのない存在、実存する権利をなんらかのしかたで剝奪されている存在へと向かうのではないか。かれが偉大な芸術（アルス・マグナ）である哲学の芸術とはなにかという問いへと立ち戻るのはまさに、哲学が思考上の存在を創建しうるからだ。哲学が創造するすべての存在物——プラトンのイデア、アリストテレスの実体、デカルトのコギト、ライプニッツのモナドなど——が、そのことを示している。哲学者への讃嘆——ただしそれはあらゆる創造者に向かうものだ——は、つねに変わることがない。

これらの外観をとおして、外観上は無意味なこれらのものをとおして、魂が、魂の偉大さが、存在物が存在しはじめるというのである。

すべてがここにある。すなわち、リアルになることだ。そしてリアルになるというのは、合法的になることであり、おのれの実存がその存在じたいにおいて補強され、強化され、支援されることである。よく知られているように、ひとつの実存を切り崩すもっとも確実な手段とは、その実存にはいかなるリアリティもないかのようにあつかうことである。わざわざ否定することさえしない。たんに無視するのである。この意味で、実存させることは、いつでも無視や軽蔑に対抗して実存させることなのだ。粗雑なものにたいして繊細なものを、前景ではしゃぎまわっているものにたいして後景にひそむものを、日常的なものにたいして稀なものを、たえず擁護せねばならない。日常的なものの認識様式は、このうえなく分厚い無知と相関している。「日常的なもの、あらゆるもののなかで最悪」とヘンリー・ジェイムズはかつて述べた[14]。日常的なものの哲学が存在するのは驚きかもしれない。けれどもこの哲学が、日常の因習から逸脱するものを否定しているのは、まったく驚くべきことではない。

つまりある実存に疑いの目を向けることは、ひとつの存在のリアリティを一時的に宙吊りにするばかりでなく、その実存の妥当性じたいに疑念を呈することなのである。疑うことは、権利に疑念を呈することである。ひとが疑うのは、ある事物が実存していることではなく、それが実存する権利なのだ。だからこそ懐疑は、実効性をもたないと同時に、破壊的なのである。実効性をもたないのは、事物が実存するのを妨げないからである。破壊的なのは、事物からリアリティ

（すなわち実存する権利）を奪うからだ。スーリオにおける懐疑は、デカルトやフッサールとはちがって、もはや純粋に方法論的な操作としてあらわれることはなく、弾劾裁判や告発という行為遂行性をもつ。懐疑は特定の実存からリアリティを奪い、亡霊状態まで還元してしまうのである。したがってあらゆる実存はおのれを打ち立てるために、懐疑と闘わなければならない。

この点をめぐって、春の訪れにかんするスーリオの描写をとおして推しはかることができるだろう。春がまだはっきりとは実存していない瞬間を、狙いすましたようにかれが選ぶのはまさに、春が冬の現前に打ち勝たなければならないからだ。「わたしは相当待ち望んだのだ、この春を！春はもう来ないのではないかと疑いかけたくらいだった。いま春が勝ち誇っているのは、懐疑と不在にたいする勝利なのだ。春が「美しき世界という言葉はむなしいものではない」と語るのは、春じたいがこうした疑いを晴らすべく証言しているからなのである。つまり春による証言は、こうした疑いそのものに訴えかけており、そうした疑いを前提にしているのだ。最終的に力が解放され、ついに存在が完成されるとき、暗き底でのあのまったき不在から春は解き放たれるのだ」（DME, 115-116）。一つひとつの特権的な瞬間は、形態上の骨格——それによって色彩、線、光が束の間の関係を構成するような——ばかりでなく、おのれ自身の実存と「美しき世界」のために証言する肯定的な力をも保有している。

ここでわれわれがふれているのは、スーリオにとって芸術の本質をなす点である。すなわち創造することは、なによりまず*証言すること*なのだ。創造者、哲学者とは証人である[15]。一つひとつの作品は証人の作品である（証人は作者と混同されるものではない）。「問われているのは、偶然居合わせた証人でも、読者、朗読者でもなく、理念上の内的な証人であって、作品はみずからこの証人を生みだし、この証人に向かって構成されるのだ。そして作品にふれる魂はすべてこの証人に多かれ少なかれ同一化せざるをえず、作者の魂であってもこの要請を免れることはないだろう」(IP, 252)。スーリオにとって視点が、「証言にかかわる点」として定義されることがわかるだろう。つまり実存の創造者はそれぞれ、自己自身のため（プロ・ドモ）の弁論と同じしかたで、じぶんの創造したもののために証言するのだ。その「作品」はどれも、あらたな存在物の大義を支持する。証言はいつも「美しき世界」のために、その知解可能性と「宇宙性（コスミシテ）」のためになされるのであり、そうした証言と同時に、世界のなかであらたな諸存在が啓示されるのである。ひとが見たものを見させるためには、ひとつの「芸術」がまるごと必要なのだ。見させることは、この意味で、証人になってもらうことである。まばゆい瞬間や真理の瞬間がたとえ逃げ去るものであったとしても、すべての人間はあるとき、そうした瞬間の証人となるのだ。

　だが弁護士になるのは、こうした美しさや真理のために証言しようと決意するひとたちだけである。そうしたひとたちは「特別」な瞬間や、じぶんがリアリティを推進したい実存様式と、共同戦線を張るのだ。スーリオにとって現出することはいつも、出頭すること（ともに現出すること）、ないし、出頭させることである。われわれは決して単独では現出しないからというばかりでなく、進行中の事件においてつねに証人や弁護士になるからだ[16]。たとえば、太陽の光のもとで一本の樹の実存を知ったひとが、その樹の感触を暗闇のなかで発見しなおす例を考えてみよう。「この樹をわたしは叩くこともできる。ほら、こんなふうに叩いてみよう。こうすることでわたしは、樹がじぶんの現前を証し立てるよう促しているのだ［……］。これは宇宙の現前からもぎとられた証言であって、宇宙の現前は私の手のしたにある樹皮という資格で出頭するよう促されたのだ。宇宙の現前は、わたしの不鮮明で落ちつかない思考という、あの弱い存在がもたらす枠組のなかに記録されることを余儀なくされた。そのいっぽうでわたしの思考は証言に依拠することで、ゆるぎないものとなる。わたしの思考は、証言とともに、証言のなかで構成されたのである」（IP, 239）。

樹と人間は、実存するための支えを互いに提供しあうという意味で共同戦線を張る。人間が樹の実存を支えるように、樹のほうも人間とその思考の実存を、この「弱い存在」を支えるのだ。ここにあるのは決して肉を介した反転可能性ではなく、相互的な樹立であり、ふたつの存在のあいだでの実効的な存立性〔ともに成立すること〕の生産である。実存することと実存させることが同じひとつの過程に参加することによって、創建は必然的に相互的な過程となるのだ――この過程は、セルバンテスとドン・キホーテ、ライプニッツとモナドロジー、トムソンと電子などを、それぞれ固有の実存様式にもとづいて相互的に樹立するのである。どんなものも他者の魂のために証言する。スーリオにおいて、魂は決してひとりで実存することはなく、ほかの魂たちを実存させることでみずからも実存する。そしてほかの魂たちも相関的に、相手の魂を実存させる。じぶん自身として実存するのは、ほかの魂たちの弁護士となることによってなのだ――その魂たちのなかには、自己拡張への願望として把握されるじぶん自身の魂もふくまれる。じぶんがリアルになるのは、ほかの実存たちをいっそうリアルなものにすることによってなのだ。「過ぎ去るこの瞬間じたいのなかで、わたしを存在に結びつけ、わたしの自己実現を成し遂げようとするとき、この瞬間をわたしのうちで、わたしとともに実現する以外の方法があるだろうか。つまり存在する瞬間に嚙みつき、当の瞬間じたいの名前を、その瞬間自身にその場で大声で叫ばせるというやりかたである」(IP, 369)。

スーリオの主張する本質的な点は、作品と創造者は互いを実存させるという意味で連帯しているということである。作品は最終的におのれのリアリティを増大させるいっぽうで、創造者は作品が開く眺望によっておのれの魂を広げるのだ。魂が作品によって広がるいっぽうで、作品はそれじたいとして、それじたいによって実存しはじめる——これこそふたつの「不朽性(モニュメント)」であって、最良の場合には、事物と同じような充全たる自己保有に到達する。すでに見たようにスーリオは共生関係よりむしろ、精神の寄生性を引きあいにだすのだが、それは作品が最終的に到達する自律性をいっそう際立たせるためだ。「ダンテは『神曲』において、自身の亡命体験をもちいたというべきだろうか。それとも『神曲』のほうが、ダンテの亡命を必要としたというべきだろうか。ワーグナーがマチルダに夢中になったとき、恋するワーグナーを必要としたのは『トリスタン』のほうではないか。[……]あらゆる偉大な作品は一箇の人間全体をとらえるのであって、いまや人間は、栄養補給を必要とする怪物たる作品の従者にすぎなくなるのだ。科学的にいって、作品はほんとうに人間に寄生しているといいうるのである[17]」。

作品は芸術家の魂につきまとう亡霊としてはじまるのだが、やがてその関係が反転すると、今度は芸術家のほうが作品の色褪せた亡霊になるのであり、そして作品のほうはすぐさま自律的で、まばゆく輝く充全にリアルなものとなるのだ——ちょうどヘンリー・ジェイムズの小説「私的生活」におけるように。これもまた、保有＝憑依をめぐる深遠な思想の証しであろう。魂をもつことは、おのれを保有すること、ないしは自己自身の保有を熱望することであり、われわれを完成させ自律的なものにする潜在性の保有を熱望することである。しかしそれは、こうした観点によって憑依されることでもあって、というのもこのときひとは他なる魂によって取り憑かれるのだ。保有＝憑依がかかわるのは魂だけである。最高の唯物論者たちはこのことを知悉している。魂しか保有＝憑依されないし、魂によってしか保有＝憑依されない。事物や存在にあたえられる魂そのもの。保有＝憑依を思考しうるのはスピリチュアリズムだけなのだ。

スーリオに近しい作家がいるとするなら、ホフマンスタールだろう。かれはスーリオの語る実存的多元論、とりわけあらゆる時代に特有の不正義としての、いっさいの保証もなく抹消された実存にたいして敏感であった。「これこそ神秘であり、われわれの時代の構造をつくりだしている神秘のひとつである。つまり、この時代のなかではすべてが同時に存在しつつ、そこに存在していない。生きているように見えて死んでいるもの、死んだことになっていながらきわめて生きいきとしたもので満ちているのだ（……）。実現しなかった可能性であふれかえるこの時代は、そのせいで病んでしまった。うちに秘めた生命のおかげで実存しているように見えるものが、じっさいにはうちに生命をふくんではいない。そのようなもので時代は一杯になっているのだ[18]」。

各時代に特有の不正義のようなものがあって、時代は世界を魂のないもの（そして興味の湧かないもの）であふれかえらせているのだが、同時に、時代は実現しなかった可能性で満ちてもいるのだ。確認されるべきは、さまざまな実存様式のなかにたえざる混乱を生みだしているあの不均衡であり、病であり、「慢性のめまい」である。なかったことにされる実存によりおおきなリアリティをあたえようとする者は、みずからもこの混乱を分かちもつ。じぶんも幽霊や亡霊めいてくるのだ。「詩人はいないかのように見える場所にいるし、そこにいるとおもわれた場所とはつねに別のところにいる。奇妙なことに、詩人は時代という家の階段の下に棲んでいて、皆が詩人のまえを通り過ぎてゆくのに、だれひとりとしてその姿に注意をはらわないのだ[19]」。

この視点からして、もっとも驚くべきは一連の「帰国者の手紙」であろう。二十年間の放浪と旅ののち、ドイツに帰って来たひとりの男の手紙なのだが、その間ドイツは祖国としての役割を果たしていた。ドイツは、旅したすべての国の精神的な裏地のようなものだった。スペインやモンテヴィデオやそのほかの土地で経験した出来事の一つひとつが、かれにずっと同伴していたこの奇妙な精神的なドイツと縒り合わされていたのだ。漂泊者とその影。「ウルグアイでも広東でも、あるいは最後にいた南の島々でも、なにかが魂にふれたとき、ぼくはいつもドイツにいたのだ[20]」。しかしドイツに帰国すると、心のなかにあったドイツはもう見つからなくなって、まるで極度の放浪と脱領土化を生きているかのようだ。いっさいの存在はリアリティと生気が抜け落ちてしまって、知覚しがたいゆがみに侵されてしまったみたいだ。風景は出来のわるい張りぼてのようで、人びとの現実感もない。失望を招くものになったのだ。もはや漂泊者は、「そうしたものが生きていた理由を感じとる」ことができない。「こうした子どもじみた考えからぼくは内心で逃れることができずにいたのだが、この子どもじみた法廷に、偉大なるドイツと現代のドイツ人たちを引きずりだしてみることにした。それらが到底じぶんたちを正当化できないのはわかっていたのだが、見ずにすますこともできなかった」[21]。なにものもその実存を正当化しえないがゆえに、ドイツやドイツ人たちの身振りの一つひとつにはリアリティの欠如がつきまとう。そのいっぽうで、旅のさなかに出会った外国人たちはみな、夢見られ理想化されたドイツとの絆によって二重化されていたおかげで、ずっとリアルだった。帰国をめぐる二重の経験が、これほど見事に描かれることは稀だろう。決して完全に出国できず、かといって帰国することもできないということがこのとき判明するのだ。道端ですれちがう通行人だけでなく、ホテルの部屋の洋服掛けや洗面台も同じようにリアリティを喪失してしまう。「ヨーロッパ特有の病[22]」の犠牲者であるこの帰国者は、亡霊たちのなかに交じるひとりの亡霊となって、死者たち(かげ)の棲む劇場を探検し、スーリオの描いたような様式変容の冒険を繰り広げるのだ。

けれども啓示の瞬間がやって来る。ある展覧会を訪れると見知らぬ画家の天賦の才のおかげで、世界は充全たるリアリティを取り戻す。各々のキャンヴァスにあらわれるすべてが、ふたたびリアルなものとなるのだ。あたかもこの画家があらゆる懐疑を打ち負かすことに成功したかのように。

どうしたら君にわかってもらえるだろうか。そこではあらゆる存在——一本一本の樹木、黄や緑に色づく畑の畝のひと筋ひと筋、生垣の一つひとつ、岩だらけの土地に掘られた切通しの一つひとつが、どれもこれもひとつの存在であり、錫の水差し、陶器の皿、テーブル、ごつごつした椅子がひとつの存在であり――、それが生命をもたざるものの肥沃なカオスから、存在せざるものの深淵から、まるであらたに生まれ変わったみたいに、ぼくに向かって立ちあがってくるのだ。そしてぼくは感じた、いやむしろ理解した。これらオブジェや被造物はいずれも、世界にたいするおそるべき懐疑から生みだされたものであって、いま眼前にあるその実存はおそるべき深淵、ぽっかりと口をあけた虚無に未来永劫にわたって蓋をしたのだ、と。どうすれば君に半分でもわかってもらえるだろうか。この言葉がぼくの魂にどれほど語りかけてきたかを。この言葉は、ぼくの《自我》の抱えるこのうえなく異様で解きほぐしがたい状態を、大いに正当化してくれた。そのうえ、耐えがたい息苦しさにとらわれていたときには、それを感じるだけでほとんど我慢ならなかったもの、それなのに痛いほど感じさせられてしまってわが身から切り離せずにいたものを、一気に理解させたのだ――こうして信じがたい強さをそなえた見知らぬ魂が、ぼくに答えをもたらしてくれた。答えというのはつまりひとつの世界のことだ。[23]

一九〇一年に書かれた手紙の末尾で、この「大いなる正当化」の画家はファン・ゴッホだと判明する。正当化されるのは、漂泊者の自我の諸状態でもなければ、諸事物の実存――これら諸事物によって自我はあらためて実存しうるようになる――でもない。というのも漂泊者が発見するのは、双方が相互的な依存関係にあるということだからだ。相互的な樹立や創建においては、われわれを支えている諸事物によってひとは実存するし、われわれによって実存する諸事物をひとは支えている。じぶんが実存するのは、実存させてこそなのだ。あるいはむしろ、実存しているものをいっそうリアルにすることでしか、じぶんがリアルになることはない。事物が実存するには懐疑を打ち負かさねばならず、事物にはそうする力があるとするなら、この力がそのリアリティを感じる者に伝わらないことなどあろうか。そのとき、かくなるリアリティを感じる者のうちでこの力が呼び醒まされ、世界を製作するという共通の大義の弁明にならないことがあろうか。

たしかなのはこうした合法化は、主体からはやって来ないということだ。現出するものを、主体自身がどうして合法化できようか――たとえそれが主体にたいして現出するのだとしても。実存を合法化する権利を、主体はどこから得るのだろうか。実存が、とりわけこの主体にたいして現出するという事実からだろうか。じっさいは逆なのだ。主体がその証人となる当のものこそ、主体にそうした権利を授けるのであり、あるいはすくなくとも、主体がそうした権利を主張することを可能にするのである。それによって、ひとは……する資格があると感じるのだ。《自我》を根拠にするのとはまったくもって対照的である。さもなければふたつの態度――目撃したじぶんを重要だと感じることと、じぶんが目撃した事柄の重要性を感じること――を取り違えることになってしまう。「証人がもちうるリアリティは、そのひとを証人として構成するものがもつリアリティよりも無限にちいさい」(IP, 9)。逆が正しいと考えることは、錯覚の犠牲になることだ。その錯覚によるなら、「世界のなかにあるこれらのまばゆい場所、特異な完成度をもつこれらのモナドは、それじたいで正当化されるべきものではなくなってしまい、構成された主体との関連においてのみ正当化されるようになるだろう。構成された主体はこれらの場所やモナドを、じぶん自身の変状をとおして経験し、思考し、理解するにすぎない[24]」。

（1）たとえば、講演「小説と現実」を見よ。« Roman et réalité » in N. Sarraute, *Œuvres complètes*, Gallimard, coll. « Bibliothèque de la Pléiade », 1996, p. 1643 sq.

（2）E. Dupréel, *Essais pluralistes*, PUF, 1949, p. 257. 今日では忘れられているベルギーの哲学者デュプレエル（一八七九―一九六七年）は、いわゆる「ブリュッセル」学派の中心的存在である。かれのもっとも重要な仕事は、慣習、強化、間隙の概念をめぐるものだ。

（3）デュプレエルは明白にこの点を主張する。なぜなら重要なのは「慣習のなかに、形式的と解されるものの特徴」を見いだすことにあるからだ。「慣習とは形式であり、諸形式の体系である。慣習とは、さまざまな行為、対象、状況からなる連続的な基盤のなかに嵌めこまれながらも、この基盤から区別され、相対的に独立しているなにかなのだ。慣習の概念に、根本問題を説明する任務をまかせる哲学は形式主義である」（*Ibid.*, p.14）。

（4）*Ibid.*, p. 257 et p. 251.「この過程を検討する者にとって、それが示すもっとも注目すべき点は、あたらしいなにかの生産である。帰結のなかには、先行するものには還元しえない寄与があるのだ……」。

（5）OD, 42.「真の哲学はすくなくとも創建である。なぜなら哲学は、視点を創造する任務を負っているからだ。この視点によって、引き受けられたさまざまな所与からなる生きいきとして具体的で多彩な全体を、建築的構成をもつ統一として把握できるようになるのだ」。

（6）IP, 402.「そして本源的な《アナーキー》とはつまり、特異な実現の一つひとつがすべて、一次的なものとして別個に考察されうるという事実である（デカルトのコギトが、論証の際にほかのものをいっさい必要としないという意味において一次的であるように）。だがあらゆるものは、関係の網目をみずから描きだし、相互的に制限しあうという事実によって、おのれ自身のうちにコスモスの要請をたずさえている。つまり実存が一次的な弱い段階にあるのは、孤立して存在しているときだけなのだ。だからこそ、あまねくすべてがともに（いわば合唱するように）、特異な諸実存からなるプレーローマ〔満ち足りた世界〕として、一箇のコスモスの実現を要請するのだ」。

（7）IP, 310.「わたしの視点とは、すなわちわたしを定義する視点であって、わたしに由来する視点ではない。

なぜならそれがなければ、わたしはいかなるものとしても存在しないはずだ。この視点のなかで、わたしはじぶん自身を構成し強化するのである」。

(8)IP, 390.「われわれの寓話はやや子どもじみてはいるものの、構造的なものであって、それに読者がついてきたいのであれば……」

(9)IP, 263. ひとつのコスモスのリアリティと複雑性の増大は、「内容が規定されてゆくことで、潜在的な豊饒さをそなえたポテンシャルが低下する」ことを要請する。

(10)この点にかんして、M. Serres, *Le Système de Leibniz et ses modèles mathématiques*, PUF, 1968, II, p. 665 sq.

(11)これらの法則の仔細な紹介について、F・クルトワ＝ルルーの論文を参照のこと。F. Courtois-l'Heureux, « Le Philosophème et ses lois d'instauration » dans le volume collectif, *Étienne Souriau, Une ontologie de l'instauration*, Vrin, 2015, p. 87-110. 同様にスーリオがこれらの法則を、音楽における和声法との関連であつかう論文を参照のこと。« Sur les moyens et la portée d'une esthétique de la grâce », art. cit., p. 100. 規定は主音としての純粋音であり、対立は属音であり、媒介は長三度や短三度であり、逃避は「逸脱的な要素」としての前打音である。

(12)*Chercher une phrase* (Bourgois, 1991) において、ピエール・アルフェリ (Pierre Alféri) は、スーリオときわめて近い文学的創建の理論を素描し、それを根拠をめぐる哲学的論理と対立させている。P. 14.「創建の身振りは後方への回帰という形態をまとう。だがここでの回顧は根拠づけではないし、それが到達する起源は根拠ではない。根拠は検討をつうじて遡及的に発見される(……)。それは絶対的な先行者である(……)。文学における回顧はそれじたい能動的で、創建的なものなのである」。

(13)IP, 229.「これらの身振りについてたしかなのは、哲学的思考が天才的なものであるほど、身振りじたいは単純だということである。いまはまだ混沌とした粉塵にすぎないひとつの宇宙を立ちあげると、羽根をはばたかせるたびに宇宙を次々にあらたなかたちで示し、そうして宇宙を規定し建築的に構成してゆく壮大な行動。形態をあたえる壮大な身振り」。さらに先の箇所でスーリオは、哲学的範疇を「思考の身振り」として描いている(IP, 297)。

(14) あるいはさらにこうも述べている。「わたしがいっそうの生命を見いだすのは、前景の粗雑な声高さよりむしろ、おぼろげなもの、解釈にゆだねられるものなのだ」。*Nouvelles*, Aubier-Flammarion, 1969（のT・トドロフによる序文p.16に引用。同様にスーリオを参照。「生きるのが難しいとき、生きたいという望みをこれ以上ないほど無残に挫かれてしまうとき、日常の実存〔生活〕がどれほどくすみ、内面的な深みや親しみや反響を欠いたものであるか、われわれは知っている。こんなふうに幽閉され、平板になり、薄膜が張ったようになっていたものを詩的な経験は突如として開放し、存在の様々な声を重ね合わせ協奏させながら、存在の自己自身への無数の応答として解きほぐしてゆくのだ」（« Le langage poétique comme fait interpsychique » in *Poésie et langage*, Maison du poète, Bruxelles, 1954, p.208）。

(15) 哲学にかんして、IP, 365.「完成を保証された哲学は、ひとつの絶対である。哲学の内包する証人は本質的な証人であって、あらゆる人間がそこに身を置きうる形式的な場なのだ……」。すでにIP, 9でも示唆がなされている。

(16) Cf. IP, 240.「……宇宙的な性格を帯びた壮大な集合はつねに、多かれ少なかれ明晰な点、証言的と呼びうる点に向かうさなかで、出頭するよう促される。この証言にかかわる点の役割は、ある視点を具体的に示し、名づけをおこなうことにある」。

(17) DME, « Du mode d'existence de l'œuvre à faire », p. 209.

(18) H. von Hofmannsthal, *Lettre de Lord Chandos et autres essais*, Gallimard, coll. « Du monde entier », 1980, p. 134.〔ホーフマンスタール「詩人と現代」小堀桂一郎訳、『フーゴー・フォン・ホーフマンスタール選集3』所収、河出書房新社、一九七二年、七一頁〕。現代について、p. 137-138.〔同書、七四頁〕。「時代のなかではかすかな慢性のめまいが生じてゆれている。そこには、少数のひとにしか姿を見せないものが沢山あるし、多くのひとがあるとおもっているのにじつはないものも沢山ある。そこで詩人はときとしてこう考えこんでしまうのだ。じぶんは果たしてここに存在しているのだろうか、この時代にとって多少とも現実的なのだろうか、と……」。

(19) *Ibid.*, p. 144 sq. et p. 147-149.〔「詩人と現代」、『ホーフマンスタール選集3』所収、前掲書、八〇、八四—

八五頁〕。「詩人はおよそ世界のうちにあるもの、世界と世界のあいだにあるものといえばどんなものであろうと、意味がないと考えることはない（……）。詩人は、どれほど影の薄いものであっても見過ごすことはない」。

（20）*Ibid.*, p. 178.〔ホフマンスタール「帰国者の手紙」、『チャンドス卿の手紙』所収、檜山哲彦訳、岩波文庫、一九九一年、一八一頁〕。

（21）*Ibid.*, p. 190.〔ホフマンスタール「帰国者の手紙」、『チャンドス卿の手紙』前掲書、二〇二頁〕。

（22）*Ibid.*, p. 194.〔ホフマンスタール「帰国者の手紙」、『チャンドス卿の手紙』前掲書、二〇八頁〕。

（23）*Ibid.*, p. 197.〔ホフマンスタール「帰国者の手紙」、『チャンドス卿の手紙』前掲書、二一二―二一三頁〕。

（24）« Le hasard, les équilibres cosmiques et les perfections singulières », art. cit., p. 15.

6 剝奪された者たち

かつて実存が所有される財産であったことがあろうか。
実存とはむしろ要求であり希望ではないだろうか。
エティエンヌ・スーリオ

アナフォラとは、実存がいっそうのリアリティを獲得しようとする過程であり、それにたいして創建とは、実存がみずから実存する権利を肯定しようとする身振りのことである。両者は切り離すことができない。ある実存のリアリティの強度化は、その相関物としてつねに、実存する権利の肯定をともなっている。実存する権利はもはや、主権的な根拠が授けてくれるものではなく、だからこそ別の手段で獲得しなければならない。けれども、特定の様式で実存する権利を全面的に剝奪されているとしたら、どうなるのだろうか。もはやいかなる出口も存在しないとしたら。あなたにはもちろん実存する〔生きる〕権利がある、けれどもそのしかたでは駄目だし、あのしかたでも駄目だし、どんなしかたでも駄目だ……。問いは政治的なものであると同時に美学的なものである。これこそまさにカフカの立てた問いだ。それはしかし、実存する権利を剝奪されたすべての者たちが、なんらかのしかたで立てている問いでもある。実存の問題はその事実性の問題でもなければ、その還元しえない偶然性の問題でも、その不条理の問題でもない。問題はいっそう根本的なもので、リアルに実存することが問われているのである。

だがうわべ上、この問題には不条理なところがある。というのも、実存というのは還元しえない所与であるのに、どうして問題となりうるのだろうか。やすやすとすでに実存しているというのに、なぜ実存への入口をわざわざ探すのか。すでにおわかりのように、〈実存〉様式同士の区別をいっさい導入せずにおくなら、議論は抽象的なまま徒労に終わってしまうだろう。ひとつの事物として恒久的に実存すること、スーリオの術語をつかうなら「事物的」な実存によって実存することだけでは、ほかの様式にもとづいて把握される実存を「打ち立てる」には十分ではない。そんなことをしてしまえば、権利と事実の区別をまるまる無視する羽目になるだろう。実存しているという事実だけで、リアルなわけではない。実存する権利を獲得してはじめて、リアルになるのだ。実存者を世界のなかに「投げこまれた」ものとして記述し、「世界内存在」を引きあいにだそうとする向きもあるかもしれない。けれども、じぶんを「世界内存在」にしてくれる入口を見つけだせない者たちは、いったいどうすればいいのだろうか。そうした者たちは、世界のなかに投げこまれて（ジュテ）いるどころかむしろ、世界の現実じたいのせいで外に捨てられ（ルジュテ）、追放されていると感じるのだ。あるいは、世界内に存在する分け前はじぶんたちにはもはや帰属しておらず、世界はそうした分け前をじぶんたちからあらかじめ奪っておいたのだ。これこそカフカの独身者界には、ぼくが散歩できる場所がまだない[1]」。

カフカの独身者とは世界なき人間なのだが、それは家族なき人間でもあるからだ――というのも、この独身者は家族を「つくる〔根拠づける〕」ことができないのである[2]。独身者はなんの根拠にもなれないし、なんであれ「根拠づける」ことなどできない。独身者は、有名な『父への手紙』における家族の父という形象の真逆なのだ。この『手紙』における父は、根拠づけをおこなう権威的な形象の具現化としてその姿をあらわす。専制君主としての父は、家族の圏域を遙かに超えて広がる壮大な時空間に君臨するのである。「その椅子から、あなたは世界を統治していたのです」。父はあらゆる権利を有するばかりでなく、気分次第で諸権利を――たとえば語る権利、結婚する権利、思考する権利などを――恣意的にばらまく。独身者の息子はいわば、父と対称的な正反対に位置どる。父というものが否応なしに家族の父であるとするなら、それと同じくらい否応なく、息子は家族なきものだ。祖先も子孫もない息子は、独身者であることを運命づけられている。

あるいは、さらにこう述べることもできるだろう。独身者とは相続権を奪われた息子〔廃嫡子〕なのだ、と。独身者は独り身であり、どんな輪（サークル）にも属さず、どんな財産ももたず、もっとも基本的な諸権利さえも奪われている。世界地図のなかで占めるのは、あまりにちいさくてほとんど見えない一点にすぎない。独身者は狭くなり続ける空間に生きており、時間の連続性も完全に失われればらばらの瞬間がただ継起するだけだ。じぶんのことがほとんどリアルなものだとおもえず、身体をもっているかどうかさえもう確信がもてない。「ぼくはどんなことだって確信がもてません。じぶんが存在していることを確証させてくれるものを、たえず待ち望んでいる始末なのです。ほんとうにじぶんの所有物だといえるようなもの、じぶんだけに属している疑いようのないもの、ぼくだけがはっきり決めることができるものを、なにひとつもっていません。結局のところぼくは相続権を奪われた息子なのです。じぶんのもっとも近くにあるもの、つまり、じぶん自身の身体のことすら疑っていました」[3]。もはや時間も空間も、思考も言語もない独身者に、いったいなにが残されているのだろうか[4]。独身者は、じぶんのあらゆる権利が剝奪される世界に生きている。そもそもどうして、じぶんだけに固有のなにかを保有できるだろうか。父の観点からするなら、なんにたいしても適性のない役立たずだというのに。

独身者にとって諸権利を奪い返す唯一の手段は、訴訟を起こすことだ。この解決策には驚きの声があがるかもしれない。だれもが知っているように、カフカにおいて訴訟に勝つことは不可能だからだ――たとえ無罪であっても、とくに無罪であればなおさら。おのれの無罪を「証明」しなければならないということじたいが、すでに無実を喪失しているということなのだ。『審判』においてティトレリのいうように、真の無罪判決が下され、罪が晴れることなどない、それは伝説にすぎない。そうだとするなら、なぜ訴訟なのか。訴訟になにを期待しうるのか。訴訟とは、有罪判決を回避する唯一の手段なのである。訴訟が続いているかぎり、有罪になることはなく、いかなる判決も下されない。審議中の案件になるからだ。さまざまな告発の犠牲になるとはいえ、すくなくともいっさい罪を負わずに済む。だからこそ『父への手紙』は訴訟の試みとなるのだし、あるいはフェリーツェへの手紙が、告発と自己告発とが境目なく入り交じる「もうひとつの訴訟」となるのだ(5)。くわえてカフカは『父への手紙』にかんして、ミレナにこう告げている。「これを読む際には、弁護士の策略があちらこちらに張りめぐらされていることをご理解ください。これは弁護士の手紙なのです」。

それゆえ訴訟は避けがたいものであり、同時に、終えることもできない。避けがたいのは、告発が有罪判決に変わるのを妨げなければならないからだ。終えることができないのは、有罪判決を先延ばしにする以上のことは決してできず、無罪放免になることは絶対にないからだ。これこそ『審判』でティトレリが語る、際限なき引き延ばしの意味である。「訴訟が終わることはありません。ですが、被告は自由の身といってもいいくらい、有罪判決のおそれがありません」(6)。これは『父への手紙』の目的のひとつでもある。訴訟を起こさなければならないのは、その手続きによって、父を主権者の立場から格下げし、かれの下した過去の有罪宣告を宙吊りにしうるからなのだ。「ぼくらとあなたのあいだでずっと続いているこのおそるべき訴訟のなかで、あなたはいつもじぶんが判事であると主張しています。ですが、すくなくとも本質的には(ぼくはじぶんがなんらかの誤りを犯しているかもしれないということを否定するつもりはありませんが)、あなたはぼくらと同じように弱く、盲目な係争当事者にすぎないのです」(7)。つまり、個人からその権利を奪いとる判事――根拠に立脚する人間――の恣意的な権力に対抗するために、かれはみずから弁護士にならなければならないのだ。カフカの描くように、もしかしたら独身者にはなにもないままかもしれない。だが弁護士になることによって、独身者はすくなくとも被告のために思考し、語り、書く権利をふたたび奪い返す——しかもこの被告とはじぶん自身のことなのだ。

　ある意味でわれわれは、ベケットの人物たちからさほど遠からぬところにいる。肝腎なのは、カフカ／ベケットの並行関係をつくりだすことではない。なぜならカフカからベケットにかけて、状況は変わったからだ。唯一の共通点は、ベケットの人物たちも剝奪された者たちだということである。かれらにはじぶんに帰属するものがいっさいない。だが剝奪はかれらにとって既成事実となり、いわばアプリオリな条件と化している。かれらはもういかなる権利も要求しない。「もう権利もないというのかい？　失くしてしまったのか？——売り飛ばしてやったのさ[8]」。ベケットにおいて、ひとは剝奪された状態で生まれる。だから訴訟という考えじたいが意味をもたないのだ。「生まれるまえに諦めなければならなかったし、ほかのやりかたなんてありえない」。ベケットの人物たちはじぶん自身を保有する手段をもたないので、それよりむしろ、じぶんはいったいだれに属しているのだろうかと自問する。こんな世界のなかにじぶんたちを置いたのはだれか。じぶんたちにかかずらわっているのはだれか。もっというなら、じぶんたちの代わりに、じぶんたちの頭のなかで喋り考えているのはだれか。所有物といえば、定期的に目録をつくっている詰まらないものがいくつかあるだけだ。

　ところでカフカからの甚大な変化は、ベケットの人物たちがこうした剝奪状態に苦しむことさえないということだ。問題は別にある。ベケットの人物たちを特徴づけ、かれらにおおきな喜劇的な力を授けるのは、この人物たちのおこなう要求である。かれらはどれほど全面的に奪われていようとも、それでもなにかを要求する。かれらはどんなことにかんしてもいっさい権利を求めないし、いかなる財産も要求しない。大抵の場合、じぶんがなにを求められているかさえわからない。[9] そうだとするなら、ベケットの人物たちはいったいなにを要求するのか。かれらは訣別することを要求するのだ。もう語らないこと、もう見ないこと、もう考えないこと、もう動かないこと。すなわち訣別すること。昼の光のもとでは、この要求は傲岸不遜でさえありうるだろう。「きょうにも死ぬかもしれない、わたしがそうしたければ。一押しするだけでいい。もしわたしがそう望めるなら、一押しできるなら」[10]。ただしベケットの人物たちは、この要求を決して実現させられない。望むだけの意志すら十分にもちあわせていない。完璧に黙ることも、もう思考しなくなることも、もう動かなくなることも絶対にない。いつまでも存続する残滓や振動が訣別を妨げるので、終えることを終えられない。「さらに終わるために」。かれらがラディカルに剝奪されているのはまさしくそのためだ。つまりかれらは、訣別すると決断することさえできないのである。この決断は、ほかの物事と同様、かれらに属するものではない。だから、それでもなおじぶんたちをゆさぶるしぐさ、声、知覚を被り続けなければならない。ベケットの人物たちは終わりえないものを発見する。終わりえないのはもはやカフカのような訴訟ではなく、終わりそのものなのだ。

　訣別が妨げられるのは、残存するあらゆる存在物が立ち昇ってくるからである。たとえばふいの痙攣、身ぶるい、かゆみ、気詰まり、記憶や言葉の断片、忘れられた約束などだ。一見するとベケットの世界は、沈黙、不動性、黒、灰、白といった窮極的な限界に合流しようとするかに見える。だがじっさいに目撃されること、ベケットの人物たちが反射させ反響させていることは、黒は決して全面的なものではない、沈黙は決して完全なものではない、不動性は決して完璧なものではないということだ。なにかが否応なく存続する。お望みなら生の力（ヴィタリテ）と呼んでもいい。力が人物たちに帰属するのではなく、かれらのほうが力に帰属するのであり、この力がかれらに最小限の活動をおこなわせるのだ。かくなる人物たちとともに、あらたな実存様式が出現する。ただし、この実存様式を創建する過程はいまやアナフォラ的なものではなく、カタストロフィ的なものである。距離は、最小のものから極限のものへと向かうのではなく、最小のものから無へと向かうのである。拡大原理に代わるのは、微細化原理である。いまや人びとは立ちあがるのではなく倒れる。そして倒れながら、減衰によって、縮小によって、取るに足らないことによって、ほとんど実存せず半ば無に近いあらたな存在物が出現するのだ。「部屋にかすかな光。どこからかは謎。窓からは皆無。いや。ほぼ皆無。無なんてない[11]」。とはいえそこに到達するには十分に窮乏し、十分に喪失していなければならない。身ぶるい、ふいの痙攣、ささやき声によってでなければ、どうして感動できようか。われわれの要求にたいして、いかなるものも、だれも異議申し立てをしに来ないあの圏域に、どうすれば到達できるだろうか。

おそらくここにこそ、あらゆる芸術を貫く傾向がある。つまり、感性にとって不毛だとか居住不可能だとかいわれた領域を、あらたな存在物たちで満たす試みのことだ。諸芸術は、抽象的な純粋形質に合流しようという欲望において、おのれの可能性の限界に突きあたるのではないか。

至高の限界としての白、黒、沈黙、無は、芸術の目的〔終焉〕や精髄を具現化しているのではないか。白、黒、沈黙、空虚の彼方にはなにも存在しないというのがほんとうだとするなら、これらの圏域にあらたな存在をどうやって創建すればいいのだろうか。ある芸術が乗り越え不可能な限界に直面したということを口実として、いったい何度、芸術の死が宣告されてきたことだろう。ご存知のように、これ見よがしの境界線が壁として打ち立てられてきた。たとえば、ケージと四分三三秒の沈黙の彼方にどんな音楽がありうるのか。マレーヴィチの白い背景のうえの白い正方形の彼方に、ラウシェンバーグの《ホワイト・ペインティング》やロバート・ライマンのモノクロームの彼方に、どんな絵画がありうるのか。ヴィデオ・アートの固定撮影や真暗なスクリーンのあとに、あるいはウォーホルの《スリープ》のあとに、いかなるイマージュがありうるのか。乗り越えられない限界の近傍に位置する実験形式と見なされがちな事例であれば、さらにいくつも挙げられるだろう。

だが、ベケットから限界をめぐる教訓を引きださねばならないとするなら、限界とは乗り越えられないものどころか、むしろ逆に到達しえないものだということにある。この点を理解するには、逆側に、つまり限界の具体的な側面へと移動しなければならない。この零度のなかに、この中性の、不在の、全面的な白の、灰色の、漆黒の決定的状態のなかに、どのような具体的なものがあるのだろうか。この圏域においては、知覚の縮尺を変更しなければならないという印象を抱く。ある人びとからすれば純粋形質の抽象にしか見えないところに、他の人びとは知覚の縮尺の変更によって誘いだされる、微小な運動と移動が乱反射する表層を見いだすにちがいない。限界はもはや抽象的な形質として具現化されるのではなく、生にうちふるえる敏感な被膜となるのである。アンドレ・マッソンは、キャンヴァスを表皮として定義したが、それぞればかりでなくあらゆる支持体、あらゆる素材は振動体なのだといわねばなるまい。振動体は、この限界の発するふるえがどれほどかすかなものだとしても、それを受けとめる機能を帯びるのだ。限界の近辺ではすべてが振動しはじめる。耳や肌やキャンヴァスばかりではない、全身が振動するのだ。同様に映画やヴィデオのイマージュも、うつろいやすいその感性〔感度〕がとらえずにはいない、光や色のかすかな変様によって生命をあたえられている。不完全だからそうなるのではない。むしろ物理的、技術的、音楽的、絵画的などの身体にかかわっているという事実がそうさせるのだ。

限界の抽象性を相対化する最初の所与は、これら身体の現前である。具体的なものとは、身体そのものの物質性のことではなく、身体の振動がもたらす「ノイズ」のことだ。ちょうどそれは、ゲイリー・ヒルの《メディテーションズ》（一九八六年）においてスピーカーがすこしずつ砂に覆われてゆき流れる声が理解できない振動に変わってゆくことや、ナム・ジュン・パイクのヴィデオの寄生性にすこし似ている。技術的（テクニック）ないしテクノロジー的なものもふくむ身体は、もはや再生や適応の道具ではなく、記録の表面であり感知装置なのだ。身体は、聴こえるものや見えるものの限界にある運動、「ノイズ」を記録する。それによって身体は、たとえ機械化されていたり産業的なものだったとしても、魂や精神のようなものとなるのである。[12] 肝腎なのは魂を創造することばかりでなく、あたらしい身体を合成しブリコラージュすることだ。限界に到達できないとするなら、その理由はまさにこれら身体にある。ケージの四分三三秒は、沈黙という膨らみのある身体を構成するコンサートホールの騒音と不可分である。四分三三秒についてケージは、ちょうどベケットのようにこう宣言する。重要なのは沈黙に到達することではなく、「終わりじたいが知覚不能なものに近づいてゆく」ことなのだ、と。[13]

限界は消滅に漸近してゆくにもかかわらず、「ノイズ」と切り離せない。情報理論が定義するような意味において、このノイズは還元できないものだ。だが、情報伝達を攪乱するものと見なされるのではなく、ノイズはあらたに獲得されるべき対象となる。たとえば、ビル・ヴィオラのいう「《アンダーサウンド》」とは、あらゆる音を吸収する世界のたえざるノイズであって、たとえ聴こえず理解できないものであっても、それを捕獲(キャプチャ)することが問題となるものだ。別の言葉でいうなら、〔知覚の〕縮尺を変更することで、限界は到達しえないものになるのだが、それはミクロ物理学的なざわめきが限界の近傍に浮かびあがってくるからなのだ。逆にいうと、抽象的な限界のほうにとどまるかぎり、身体は抹消されてしまう。一般性の水準に、モノクロームの純粋形質――白、沈黙、黒、不在など――に引きとめられてしまうのだ。

沈黙の具体的な局面では、最終的に、すべてのものに活発な生命があたえられる。たとえば白は、まるで吹雪のなかにいるような運動や、振動するきらめきによって生命をあたえられる。だからこそ創建することはいまや、運動を捕獲し、伝達し、検知する装置を創造することなのである。このことは、感度を変えるためにブリコラージュがおこなわれるカメラだけでなく、あらゆる芸術についても、風の力、太陽や機械や電気のエネルギーをとらえる可動的な彫像についても当てはまる。ラウシェンバーグはかれの白のモノクロームを「超高感度のスクリーン」と定義し、ケージはそれを「光、影、微粒子の空港」と形容した。〔ピエール・〕スラージュにおける黒は内的な運動と振動をそなえており、かれのコンポジションは、黒を超える「《黒の彼方（ウトルノワール）》」の光をとらえるのだ。「《アンダーサウンド》」と同様、《黒の彼方》とはまさに、黒が画一的な形質としてあらわれるのをやめ、「黒の彼岸で、夜によって変形された反射光となる」瞬間なのだ。「《黒の彼方》――黒は黒であることをやめ、あかりを、秘密の光を発するものとなる。《黒の彼方》――黒とは別の精神的な領域[14]」。ミクロ物理学的にとらえることで、黒はまさしく「精神的な領域」となり、スピリチュアルな生命を獲得する。振動をとらえることによって、物質に生をあたえ、色彩じたいに生をあたえること、それはスーリオの言葉でいうなら、物質や色彩に魂をあたえることである。

ただし、もはや抽象など存在しないという意味ではない。そうではなく、抽象は窮極的な限界であるのをやめ、知覚しうるものになったのである。どういうことか。霧のなかから姿をあらわすものをとらえるのではなく、知覚じたいに内在する抽象としての霧そのものをとらえること。たとえば、見るべきものがなにもない一枚のキャンヴァス、染みひとつなくなんらのモチーフすらないキャンヴァスから、蒸気のようにさまざまな色彩だけが立ち昇るところを想像してみてほしい。ひょっとしてアグネス・マーティンにおいて起こっているのは、こうしたことだろうか。見るべきいかなるオブジェも、いかなるフォルムもない絵画である（そもそも写真による複製はきわめて貧弱な観念しかあたえない）。かのじょの絵画ではたいてい、水平方向の直線がたえず規則的な間隔をあけながら何本も引かれ、ちょうど学校用のノートのようにキャンヴァスに筋目をつけている。こうした直線が構成する壮大な格子や碁盤目は、ちょうどデッサンの零度ないしは「精神の無垢[15]」のようなものだ。ここにあるのは、アグネス・マーティンがたえず回帰する出発点ないし再出発点としての古典主義である[16]。そのいっぽうで、ほぼ半透明の色彩も介入してくるのだが、色彩は直線の筋目を尊重しながら、すこしずつ薄らいでいったり、ふたつの色が互い違いに配置されたりするものが大半を占める。線の平坦さとグラデーションが、色彩と色調の出現と塗布の条件をなしているといえるだろう。タブローの放つ清澄な雰囲気にもかかわらず、線と色彩のあいだに闘争のようなものがあるのがすぐ見てとれる。きわめて純度の高いフォルムの下では、自然の「頑固な幾何学」――まるで拳のようにじぶんの内側に閉じてゆこうとする――と、色彩の放射力とのあいだで、セザンヌのおこなった闘いが発見されるのだ[17]。

アグネス・マーティンにおいて、眼は線から色彩に向かうが、最終的にはいつも色彩が優位に立つ。色彩は線からはなれると、霧のように立ち昇り漂うのである。だがそうだとするなら、なぜ線があるのか。それは線がなければ、色彩が解放され広がってゆくさまが見えないからだ。霧の運動をとらえたければまず、霧が隠してしまうオブジェを見きわめねばならないようなものだ。これこそアグネス・マーティンにおいて生じていることである。わたしたちが目撃するのは、色彩が線を消し去りながら空気状に、雲状になってゆく様子なのだ。一見したところとはちがって、これはモノクロームではない。なぜならモノクロームは不透明だからだ。たとえ「奥行き」があろうとも、モノクロームの二次元性の「背後」にはなにもない。逆にアグネス・マーティンにおいては、色彩の「背後」にまさしくなにかがある。消滅したり出現したりしつつある線があるのだ。かのじょの色彩使用法は色彩に透明さをあたえることで、それを脱物質化し気化させ、抽象にまで到達させるのである[18]。ただしこの抽象化が身体を消去することはない。たしかに色彩は、もういかなる身体を色づけることもないが、それは色彩そのものが半透明の霧状の身体となるからなのだ。抽象とは、純粋な色彩となった身体であり、あるいは非物質的な身体となった色彩である。

これらの事例すべてをとおして、われわれがかかわっているのはもはや抽象的な限界ではない。抽象的な限界とは、ひとつの芸術の窮極的な可能性を表象するものであり、かつまた、ひとつの芸術に本質を設定し、それと異質なものを分離する壁を打ち立てるものである。だが限界が具体的なものになるとき、もう限界は同じもの同士を分離したりはしない。というかむしろ、限界の機能はもはや分離することではなくなり、逆に諸芸術を、想定される各々の本質とは異質の諸要素と交流させるようになるのである。絵画が絵画でないものと、文学が文学でないものと、演劇が演劇でないものと、ダンスがダンスでないものと交流することこそ、それぞれの芸術が駆動するための条件であると述べることは、いまや常套句といってよい。芸術は本質的に不純なものとなるのだ。音楽にはノイズやイマージュが、絵画と彫刻には写真や布地や木やありとあらゆる素材が、文学にはイマージュやハイパーテクストや声やテクストの切れ端が挿しこまれる、など。あらゆる芸術は「横断性」によって、リサイクルとハイブリッド化の諸形式によって触発されて、

「マルチメディア」化している。作品は多元様式的であり、様式横断的なのである。

　ヴァレーズやケージが音楽をノイズに向けて開いたように、ロバート・ライマンは対談のなかでつぎのように語ることができた。関心があるのは白そのものというより、木材、色、光に反応する白なのだ、と。[19] 白に価値があるのは、異質な諸要素を検知するからにほかならない。ラウシェンバーグも《ホワイト・ペインティング》について、かれ独自のしかたでこう述べている。「ホワイト・ペインティングは受動的なものではなくて、いわば超高感度なのだ（……）。そこに映る影のおかげで、部屋のなかにどれくらい人がいるのか、いま何時なのかといったことが、見ているだけでわかるのだ」[20]。ラウシェンバーグは、白や消去（有名な《消されたデ・クーニングのドローイング》）から、より後年のコンポジション、すなわち異質な諸断片を交流させる真のパッチワーク——汚され染みをつけられたモノクロームに、靴下、写真、新聞の切り抜き……が貼りつけられている——へと向かう運動を典型的に示している。おそらくこうしたきわめて活発な交流が前提しているのは、先述した零度としての白、沈黙、黒といった「還元」をくぐりぬけているということだ。

　それは転落のようなものだが、そこから立ちあがる必要はもうないだろう。そもそも立ちあがることなどできるだろうか。アナフォラ（anaphore）は文字どおり、カタストロフィ的ないしカタフォラ的（*cataphorique*）なものとなった（*ana* が下方から上方への運動を、*kata* が逆向きの運動を指すという意味において）。これは見る力と見させる力をあらたに発見するために、知覚を掃除し、眼を洗う手段なのである。そうでなければ、われわれは創建どころか、もっぱらコピーしたり、逸脱したり、パロディしたりするだけの、「二流」やキッチュのプロフェッショナルになってしまうだろう。「カタストロフィ」は、限界の転換点として不可欠なのだ。限界が到達点から出発点に変わるのは、抽象的な不可能性がポテンシャリティの領野へ、スーリオの用語でいう「プレグナンス」の領野へと変貌するときである。(21)繰り返しておくが、いまや還元は、純粋形質や本質への合流（形相（エイドス）への還元）に役立つのではなく、むしろ非本質的なもの、すなわち不純で異質な諸要素に向けておのれを開くことを可能にする。こうした異質な諸要素によってこそ、実験は生みだされてゆくのだ（実験への還元）。あらたな建築的構成をとおして、芸術は異質なものたちを検知し構成するものとなる。芸術は、想定されたおのれの本質へと性懲りもなく向かうのをやめるのだ。

ともすればスーリオの描いたアナフォラの過程は反転し、上昇が転落になるかもしれない。だが依然として肝腎なのは、あらたな存在物に権利を生みだすこと、こうした存在物をそれが現出し消滅する瞬間にとらえることなのだ（所有と剝奪の流動的な戯れをとおして）。あらたな実存がまるで霧のなかから出現するようにあらわれるときこそ、そのリアリティを増幅させなければならないときこそ、スーリオにとってもっとも感動的な瞬間である。あるいは逆に、その消滅をとらえることが重要な場合もあるだろう。写真のイマージュに対抗するべく、それを亡霊に差し換える徹底的な作業をおこなうオスカー・ムニョスの作品のように。ホログラムをつくること、風の息吹きや反射光のなかで幽霊としての肖像にふたたび生命をあたえること。あるいは、写真のイマージュを現出／消滅の戯れにしたがわせることで、撮影の瞬間性とその「リアリティ」を解体すること。写真イマージュの形態を液体で溶かし、白のなかに消失させたあとで、まるで深い記憶喪失のような白のなかから、イマージュをふたたび出現させること（《フォトグラフィーズ》シリーズ参照）。ムニョスはイマージュを実存的に転調させてゆくのだが、――凝固したイマージュとは異なる多種多様な実存様式の探究をつうじて――いまや問題となるのは現出と消滅だけだ。スーリオならこう語るにちがいない。われわれは物体の堅牢さ、輪郭の明白さ、イマージュの凝固が消えてなくなり、あらゆる実存様式を触発する動詞――現出すること、消滅すること、ふたたび現出すること――が優位に立つ世界に足を踏み入れているのだ、と。

(1)F. Kafka, *Journal*, Grasset, *op. cit.*, 17-18 mai 1910, p. 13.〔カフカ『決定版カフカ全集7　日記』前掲書、一九頁〕。

(2)F. Kafka, *Lettre au père*, *op. cit.*, p. 77.〔カフカ「父への手紙」、『決定版カフカ全集3』前掲書、一六四頁〕。「ではなぜぼくは結婚しなかったのでしょうか。なにごとにつけそうであるように、たしかにこまごまとした障碍がありました。ですがそういう障碍を乗り超えてゆくことこそ、生きるということなのです。こまごまとしたものとは別の本質的な障碍は、なんたることか、ぼく自身が精神的にあきらかに結婚に向いていないということなのです」。

(3)*Ibid.*, p. 63.〔カフカ「父への手紙」、『決定版カフカ全集3』前掲書、一五五—一五六頁〕。

(4)*Lettre au père*, *op. cit.*, p. 27.〔カフカ「父への手紙」、『決定版カフカ全集3』前掲書、一三三頁〕。ささいな思いつきも遮られ、専制的な父による「裁決をただちに下されて」、それと同時にかれの言葉はぎくしゃくして吃りがちになり、ついには口を噤んでしまう。「あなたと穏やかに関係できなかったがために、もうひとつ当然の結果が生じました。わたしは喋れなくなってしまったのです」。一九一〇年五月一七—一八日付の『日記』にはこうある〔『決定版カフカ全集7　日記』前掲書、一七—一八頁〕。「……独身者のまえにはなにもないし、だからうしろにもなにもない。ある瞬間、そんなことがどちらでもよくなるのだ。けれども独身者には瞬間しかない」。同様に、一九一一年一二月三日付の『日記』*Journal, op.cit.*, p. 157〔『決定版カフカ全集7』前掲書、一三二頁〕も参照のこと。「……独身者はうわべ上はみずからの意志で、人生のさなかに、すこしずつ狭まってくる空間だけを占めることを甘受する。そんなわけで独身者が死ぬと、棺桶がぴったりそのサイズに見合うのだ」。

(5)E. Canetti, *L'Autre procès – Lettres de Kafka à Felice*, Gallimard, coll. « Du monde entier », 1972.〔E・カネッティ『もう一つの審判——カフカの『フェリーツェへの手紙』』小松太郎・竹内豊治訳、法政大学出版局、一九八一年〕参照。カネッティは、フェリーツェへの手紙を、『審判』の執筆に並走する訴訟と見なしている。Cf. p. 89.〔一〇七頁〕。「かれはじぶん自身にたいして訴訟をおこなっていることを意識している。こんな訴訟をする権利はほかのだれにもない……」。

(6) Kafka, *Le Procès*, GF, rééd. 2011, p. 195.〔カフカ『決定版カフカ全集5　審判』中野孝次訳、新潮社、一九八一年、一三七―一三八頁〕。

(7) *Lettre au père, op. cit.*, p. 49-50.〔カフカ「父への手紙」、『決定版カフカ全集3』前掲書、一四七頁〕。

(8) *En attendant Godot*, Minuit, 1952, p. 24.〔サミュエル・ベケット『ゴドーを待ちながら』安堂信也・高橋康也訳、『ベケット戯曲全集1』所収、白水社、一九六七年、三一頁〕。

(9) *La Fin* in *Nouvelles et textes pour rien* (Minuit, 1955) における政治演説家と、じぶんに求められていることを理解できない人物とのあいだの喜劇的な場面について、p. 103.〔サミュエル・ベケット「終わり」片山昇訳、『サミュエル・ベケット短編小説集』所収、白水社、二〇一五年、八一―八二頁〕。「拷問を受け皮を剥がれたこの男を見せてくれ。こうなったのは自業自得だとあなたがたはいうだろう。こうなったのはじぶん自身の罪のせいなのか、ちょっとかれに尋ねてみたまえ。さきほどの声、おまえが自分で聞け。するとかれはわたしのほうに身をかがめて質問をはじめた。わたしの例の小板は改良済みだった」。

(10) S. Beckett, *Malone meurt*, Minuit, 1951, p. 8 ; rééd. coll. « Double », 2004, p. 7.〔サミュエル・ベケット『マロウン死す』宇野邦一訳、河出書房新社、二〇一九年、五頁〕。

(11) *Solo*, in *Catastrophe*, Minuit, 1986, p. 30.〔「モノローグ一片」高橋康也訳、『ベケット戯曲全集Ⅲ』所収、白水社、一九八六年、二二三頁〕。

(12) たとえば、カメラについてのビル・ヴィオラの発言を参照のこと。「これらの機械は魂を保存する、魂をキャプチャするのです」(propos recueillis par Christian Lund, Louisiana Museum of Modern Art à Londre, 2011)。

(13) In J. Pritchett, *The Music of John Cage*, Cambridge University Press, 1993. 思い起こしておくなら、四分三三秒のもとになったのは、ハーヴァード大学の完璧な無音室での経験である。無音室であるにもかかわらず、ケージはじぶんの神経系の鋭い音と血液の流れる鈍い音を聞いたのだった。

(14) Entretien avec P. Encrevé, *Beaux-Arts Magazine*, Hors-série 1996, « Les éclats du noir », p. 54.

(15) A. Martin, in *Agnes Martin, op. cit.*, p. 124.

(16) アグネス・マーティンの「古典主義」について、R. Krauss, *Bachelors*, MIT Press, 1999, p. 75 sq.〔ロザリン

ド・E・クラウス『独身者たち』井上康彦訳、平凡社、二〇一八年、七一頁以下〕。

(17) この点について、H. Maldiney, *Regard Parole Espace*, L'Âge d'homme, 1973, p. 166, 183-184.

(18) 映画における隣接する手法として、cf. G. Deleuze, *Cinéma 1*, Minuit, 1983, p. 122-124.〔ジル・ドゥルーズ『シネマ1＊運動イメージ』財津理・齋藤範訳、法政大学出版局、二〇〇八年、一五〇―一五三頁〕。

(19) www.art21.org における対談を参照のこと。「じぶんのスタジオで何枚かの白いパネルを見るとき、わたしには白が見える――しかし、そのパネルが白いということを意識しているわけではない。パネルは木、色彩、光にくわえて、壁そのものとも饗応しあっているのだ」。

(20) C・トムキンスが記録した発言を参照。C. Tomkins, in *The Bride and The Bachelors*, Gagosian, 2014, p. 312.〔カルヴァン・トムキンス『花嫁と独身者たち　現代芸術五人の巨匠』中原佑介・高取利尚訳、美術出版社、一九七二年、一九三頁〕。

(21) « L'intérêt esthétique » in *Lire : Revue d'esthétique 2/3*, 10/18, 1976, p. 20.

訳者解説　反時代的な美学のために

堀千晶

世界はどのように存在しているのか
――このことは世界の外にある
ジョルジョ・アガンベン『到来する共同体』

「よりちいさな実存たち」というフランス語原題をもつ本書は、ダヴィッド・ラプジャードが二〇一七年にミニュイ社から刊行したエティエンヌ・スーリオ論であり、小著ながらスーリオとラプジャードのエッセンスが詰まった書物である。著者ラプジャードは、ウィリアムズ・ジェイムズを中心としたプラグマティズム研究（『ウィリアム・ジェイムズ――経験論とプラグマティズム』、『プラグマティズムのフィクション――ウィリアム・ジェイムズとヘンリー・ジェイムズ』）、および精緻なドゥルーズ研究（『ドゥルーズ――常軌を逸脱する運動』）をおこなうフランスの哲学者であり、ドゥルーズの死後に刊行された『無人島』、『狂人の二つの体制』、『書簡とその他のテクスト』を編纂したことでも知られる。なお二〇二一年にはフィリップ・K・ディック論を出版した（『諸世界の変様――フィリップ・K・ディック異本』）。

本書において、かれは独自の視点からスーリオを読みなおすことで、この美学者＝哲学者を現代の文脈に甦らせようとする。冒頭にひかれるペソアはその鮮烈な例であろう。ペソア自身、哲学的な高い素養のある作家であるが、『不穏の書』の断片を実存のリアリティをめぐってひもといてゆくラプジャードの手つきはあざやかである。かつてヘンリー・ジェイムズ論を執筆した著者らしく、ホフマンスタール、カフカ、ベケットといった作家の扱いもコンパクトながら見事だ。とりわけ現代芸術を「限界」の観点から論じる最終章「剝奪された者たち」は、スーリオから出発して、ラプジャードが緻密かつ繊細に練りあげたテクストであり、本書のなかでもひときわ魅惑的な章といえるだろう。

くわえてラプジャードの意図のひとつは、スーリオと、ドゥルーズおよびドゥルーズとガタリとの関係を測定する点にあるにちがいない。ドゥルーズとガタリは『哲学とは何か』第二章注六において、スーリオ『哲学の創建』に言及するのだが、かれの存在はおそらくこの言及箇所よりも遙かにおおきい。たとえば『記号と事件』のフーコー論や『哲学とは何か』において、「実存様式」が主体化の問題として繰り返し論じられるとき。あるいは『哲学とは何か』において、哲学と科学と芸術が相互的な分離を前提にしながら関連づけられ、「シナプス」が喚起され、「概念的人物」が定式化され、「モニュメント」や「建築的構成術」に言及されるとき。あるいは『哲学とは何か』ばかりでなく『千のプラトー』において「平面」という語がもちいられるとき。さらにはドゥルーズの多くの著作で「潜在性」という語がもちいられるとき。そうしたときスーリオの存在が、ドゥルーズや、ドゥルーズとガタリの頭の片隅をかすめていたのではないかと、本書を読んだあとではおもわれてくるだろう。この連関がじっさいのところどの程度の深度のものなのかは、今後の検討課題となるにちがいない。

それにしても、エティエンヌ・スーリオ（Étienne Souriau）とはいったいどういった人物なのか。公的には美学会長や『美学雑誌』編集長を務めた、フランス美学界のいわゆる大物なのだが、フランス語圏でもその思想の内実は、近年までそれほど広く知られていたわけではなかった。もちろん日本語圏ではなおのことである。『二十万の演劇状況』（石沢秀二訳、白水社、一九六九年）と『美学入門』（古田幸男・池部雅英訳、法政大学出版局、一九七四年）の二冊が刊行されてからというもの、すでに四十五年以上のあいだ、あらたな訳は出版されていない。「主著」と目されるテクスト――本書で論じられている『哲学の創建』、『さまざまな実存様式』、さらには本書では論じられないが『諸芸術の照応』――の翻訳もない。こうした日本語圏の状況に鑑みて、以下ではスーリオにかんする伝記的情報を紹介し、その思想の大枠をスーリオ自身の言葉をまじえながら粗描することで、本書の補助線としたい。

まず経歴を振り返っておこう[1]。一八九二年四月二六日、フランス北部のリールでエティエンヌ・スーリオが生まれたのは著名な学者一家だった（父ポールは美学者、おじモーリスは文学史家、兄ミシェルは哲学者）。知的な環境のなか、絵画や音楽を学問とともに学びながら育ったエティエンヌは一九一一年、高等師範学校に入学。かれみずから一九一三年前後のパリの「情況」を回顧していわく、アポリネール、カンディンスキー、ボナール、ジョイス、フロイト、フッサールに活発な関心が寄せられ、詩は韻律が崩れて自由詩が、絵画や彫刻では抽象芸術が広がり、音楽ではシェーンベルクが、科学ではボーアによる量子力学の論文があらわれ、哲学ではベルクソンが「哲学的直観」の講演を成功させ、師範学校生のあいだではシャルル・ペギーが時代の矛盾を一身に体現する存在として有名で……、という時期だったという[2]。スーリオにとってしかしこの時代は痛ましさの記憶とともにある。というのも学校の仲間の半数は一九一四年にはじまった戦争で亡くなるからであり、かれ自身も一九一四年八月に動員され、九月にはドイツ軍の捕虜となり、一九一八年八月まで四年間の捕虜生活を余儀なくされる。

一九一九年に帰国したのち、スーリオの経歴は順調だったように見える。だが、やがて戦争の影がさしてくることになるだろう。一九二五年に博士論文を提出すると、翌年にはエクサンプロヴァンス大学に着任。一九二九年にリヨン大学に移り、当地の哲学・美学界隈の中心人物のひとりとして活躍し、交友関係も広かった。一九三六年には、教育活動のためにブラジルに滞在するが、その際に活動をともにしたのは、哲学史をめぐる仕事で知られ、『哲学の創建』で幾度も引用されるエミール・ブレイエ（一八七六―一九五二年）であった。のちに『さまざまな実存様式』を執筆するようスーリオにうながしたのもブレイエのようである。こうした経歴のかたわらで、一九三九年にはふたたび召集されるが、同僚や友人たちの嘆願もあって、前線に行くことを免れた。スーリオがソルボンヌへ移ったのは一九四一年。ちょうどヴィシー政権によるユダヤ人追放政策によって大学が危機に陥っていた時期であり、ソルボンヌでは、スーリオの師のひとりであったレオン・ブランシュヴィック(一八六九－一九四四年)、リヨン大学でもスーリオの同僚であったジャン・ヴァール(一八八八－一九七四年)らが、教授職を追われていた。異様な状況のなか、かれはその後の永住の地となるパリにやって来たのである。マルシアル・ゲルー(一八九一－一九七六年)は一九五二年発表の論文で、スーリオ『哲学の創建』が広く知られていないことを、戦争と関連づけてつぎのように遺憾の意を表明している。「かくも壮大なスケールの作品が、(一九三九年の戦争の直前に刊行されたという偶然的な状況のゆえに)それに値する普遍的な名声を、ただちに獲得しなかったのは嘆くべきことである」[3]。

大学での職歴において注目すべきは、リヨン大学、そしてソルボンヌ大学における最初の数年間、かれが「哲学一般」や「哲学史」を担当していたことであり、ソルボンヌで「美学」と「芸術学」担当になったのは一九四四年以降のことだという点であろう(正教授になるのは一九四六年)。ラプジャードが主に取りあげる三冊の著作、すなわち『魂をもつこと――潜在的リアリティについての試論』(一九三八年)、『哲学の創建』(一九三九年)、『さまざまな実存様式』(一九四三年)はいずれも、スーリオが大学制度のなかで「哲学」の教員だった時期の著作にあたる。ただし、この時期よりまえにスーリオは、美学を明確に主題とした著作を発表してもいる。スーリオにおいては、芸術と哲学はいずれも「創建」の実践であり、もちろん分野の違いこそあれ、創建にかかわるという点にかんして並び立つものだ。美学者シャルル・ラロ(一八七七－一九五三年――フランス美学界の共同創設者のひとりであり、スーリオが引き継ぐまえの『美学語彙集』の編纂者)は、そのスーリオ論でつぎのように述べている。「だからこそ芸術家における創建の着想こそが、絶対的な実在にかんする形而上学的な啓示の類型なのであり、それゆえ哲学が《存在論》のもっとも奥深きレッスンを尋ねるべきは美学なのだ[4]」。そしてスーリオにとって「美学」とは、『美学の未来』の副題にあるようにまだ「生まれたばかりの学問」であった[5]。

フランスの知的制度のなかでのスーリオの存在は栄光に包まれている。たとえば『美学・芸術学記念論集——同僚、友人、弟子によってソルボンヌ大学教授エティエンヌ・スーリオに捧げられる』(一九五二年)の執筆者や支援者として名を連ねている錚々たる名前——先述のシャルル・ラロ、ジャン・ヴァール、マルシアル・ゲルーにくわえて、アンドレ・ラランド(一八六七-一九六四年)、ガストン・バシュラール(一八八四-一九六二年)、ガブリエル・マルセル(一八八九-一九七三年)、ピエール・フランカステル(一九〇〇-一九七〇年)、ウラジミール・ジャンケレヴィッチ(一九〇三-一九八五年)、ミケル・デュフレンヌ(一九一〇-一九九五年)——を見るだけで、フランスにおける知の一時代が浮かびあがってくるにちがいない[6]。なお、一九二五年生まれのドゥルーズが学生として出入りしていたのも、この時代のソルボンヌである。

じっさい、十九世紀末に生まれたスーリオが生きたのは、さまざまな思想潮流が共存している時代であった。いまでは「忘れられた」多くの思想家を挙げることができるのはいうまでもないが、二十世紀の思想を方向づける要素がすでに幾つも揃っている時代だといってよいだろう。『さまざまな実存様式』のなかに名前が挙がるものだけでも——同書では実存様式論をめぐる哲学史も概観され整理される(DME, 85-87)——、たとえばギリシャ哲学(プラトン、アリストテレス)、新プラトン主義（プロティノス）、中世哲学（普遍論争、存在の類比／一義性）。近代哲学（デカルト、スピノザ、ライプニッツ、パスカル、バークリー、ヒューム、カント、ヘーゲル）。同時代哲学では英語圏（ラッセル、ホワイトヘッド、マクタガート、ウィリアム・ジェイムズ）や、ドイツ語圏（マイノング、フッサール、ハイデガー）や、フランス語圏（スーリオにとって敬愛すべき論敵だったように見えるベルクソン）、さらには言語学（ヴァンドリエス）、科学（ハイゼンベルク）……。スーリオのもちいる比較研究的な手法もまた、比較言語学、比較神話学などとともに、時代の空気といえるかもしれない。美学における特筆すべき先達には、アンリ・フォシヨンやエリー・フォールがいた。

ヴァンサン・デコンブは、ラランドの『哲学語彙集』について、「実存主義の侵入以前の言語およびさまざまな精神の貴重なドキュメント」と呼んでいるが、[7] スーリオの著作もまた、その文体をふくめて、フランスにおけるある一時代の証言となりうるものだろう。そのなかには、サルトルもメルロ＝ポンティもいなければ（ハイデガーは俎上にあがる）、コジェーヴもバタイユもおらず（ヘーゲルはいる）、マルクス主義美学もなく（社会による芸術の条件づけという考えから距離を取る）、ベンヤミンもおらず（おそらくまだ知られていない）、精神分析もない（徹底的に斥けられる）。第二次世界大戦終結後も、スーリオの立場がおおきく変わったようには見受けられない。

芸術にかんしては、哲学よりもいっそう断固たる守旧派としてスーリオは振舞ったといってよいだろう。スーリオが亡くなるのは一九七九年だが、かれは第二次世界大戦後どころか、大戦前の同時代芸術にもさほど言及しない（『諸芸術の照応』ではかろうじてジョイスの名を挙げる）。哲学にかんしてはすくなくとも、戦前の同時代的な動向を敏感に察知し、そのことを著作に示していたのとは対照的である。スタンジェールとラトゥールは、「美学の創設者としてかなり驚くべきことだが、かれは現代芸術について無視を決めこみ、実存主義にたいするのと同じく見事な無関心を貫いた」とまで述べている（DME, 9）[8]。そうだとするなら、本書でラプジャードが二十世紀の芸術家たちに幾度も言及し――ブランクーシ、ケージ、ラウシェンバーグ、マーティンなど――、そして逆に二十世紀以前の作品にふれないことは、スーリオとはちがう道を行こうとするかなり意識的な行為であるはずだ。ラプジャードはスーリオの美学を、かれとは別の作品群に適用し、別の方向へ導こうとしているのである。

いずれにせよ二十世紀の芸術作品などほとんど存在しないかのように振舞うスーリオ――ただし抽象芸術をあきらかに思考の射程におさめている――は、たしかに『美学語彙集』[9]によってその名は知られているとはいえ、多くの人びとにとって真剣に読み検討する存在ではなかったようだ。美学者としてはあまりに哲学的な資質が強すぎたのかもしれず、また特定の流派に属さないかれの思想は位置づけがむずかしかったのかもしれない[10]。守旧的な態度が、若い世代にしてみれば時代遅れに映った可能性も否めない。

だが守旧派だったはずの存在が、突如としてあたらしい思想潮流の前線に押しだされ、あらたな多元論を打ち立て、実存／生存論を刷新するものとして浮上してきた。かれの名前をフランス思想の第一線に押しあげたのは、イザベル・スタンジェールとブルーノ・ラトゥールの七十頁以上にわたる序文つきで、二〇〇九年に再刊された『さまざまな実存様式』であろう。「これは忘れられた哲学者の忘れられた書物である」。このように書きだされるふたりの序文に嚙みつく者も多いが、この再刊以降、スーリオの哲学、美学に関連する論文が増えたのも事実である。同書が収められた叢書「MétaphysiqueS」は、近年の実在論や新唯物論の興隆を背景に、大陸系の形而上学ばかりでなく、英米哲学や人類学に目くばせしながら書物を刊行しており、何冊か例を挙げると、ヴィヴェイロス・デ・カストロ『食人の形而上学』、レイ・ブラシエ『ニヒル・アンバウンド』、グレアム・ハーマン『四方対象』、論集『物自体——実在論の形而上学』などがある。同叢書の編者はエリー・デューリング（ベルクソン研究を中心に時間論も刊行）、パトリス・マニグリエ（ソシュール研究と並行して人類学の哲学を展開）、カンタン・メイヤスー（『有限性の後で』で国際的に著名な哲学者）、ダヴィッド・ラプワン（数理哲学を研究しつつスピノザ読解をおこなう）である。なおラプジャードが本書のもとになった論文「エティエンヌ・スーリオ——よりちいさな実存の哲学」を発表したのは二〇一一年のことであり、「保有＝憑依の哲学」を題材にした論集に収められている。[11]

さて以下では、こうした「復権」の文脈を踏まえつつ、スーリオ思想の特徴と、かれ独自のいささか癖のある用語について確認してゆくことにしよう。すでに述べたように、スーリオの主著の日本語訳が一冊も存在しないということもあり、スーリオからの引用をとおして、かれの書きかたのスタイルを紹介する目的も兼ねている。

まず、『哲学の創建』の題にも見られる「創建（instauration）」からはじめることにしよう。これはスーリオの鍵語のひとつだが、ほとんど「創造（création）」と同義であり、スーリオ自身も文の流れのなかで「創造」と書くこともある（DME, 203）。かれにとって芸術はもちろん、哲学も、さらには人生も、「創建」するものであり、「作品」を創建するものである。ただし「創造」との近似性のいっぽうで、かれは「創建」という語に、かなり特別な意味をこめてもいる。スーリオによれば、「意味論の観点からすると、この語にはかなり興味深いニュアンスが認められる。近代における用法では、制度、儀礼、機能、おこないかたの、すなわち、厳密な意味からするとかならずしも物質的ではない現実の「おごそかな設立」という意味がある。だがラテン語の *instauratio, instaurare* は、かつて上首尾に成し就げられなかったものを復興すること（restauration）、再開すること（recommencement）、刷新すること（renouvellement）、あるいはもっとうまくいうなら、今度は決定的なしかたで反復すること（reprise）を含意している」（IP, 73n）。

スーリオはここで接頭辞「re-」をふくむ単語を列挙してみせることで、反復、再開、やりなおしのニュアンスを強調してみせる。つまり「0」から「1」を生みだすという意味での「創造」は斥けられ、きほんてきに過去の反復としての、つくりなおしとしての産出が主張されることになる。哲学も芸術も、無からは生まれない。そうではなく、「先駆者から取りだした建築物の断片を、かたまりとしてまるごと再利用し、相当に異なるエートスをもつ構成のなかへと挿しこむのもしばしばである」（IP, 47）。どのような完成品も、どれほど見事な達成も、つぎなる多様＝他様な反復、刷新、変様に向けて開かれている。スーリオにとってはあまねくすべての実存（存在するもの）が、別のかたちでの創建へとひらかれた未完成の下絵なのだ。

「あまねくすべては、われわれ自身もふくめ、未完成のものがおぼろに粗描される一種の薄明かり、薄暗がりのなかでしかあたえられない。〔……〕わたしがふれているこの机、われわれを取り囲むこの壁、あなたがたに語りかけているわたし、そしてこの主題について考えるあなたがたのだれもが、十全にはっきり際立つ実存をもってはおらず、満ち足りた強度を実存に見いだせはしないのだ」（DME,196）。そして創建には、過去を未来のための下絵としてあらわれさせるまなざしがともなう。創建は、過去の作品をいわば未来に向けてよろめくもの、いまはまだ口ごもってあいまいにしか語らないものとして見いだすのだ。「偉大な創建者とは真の発明者というよりむしろ、幾人かの先駆者が言い淀んだことのうちに、あたらしいスタイルの下絵を見分けることのできるひとのことであって、その下絵を偉大な作品のなかで発展させ、賞揚し、正当化させてゆくひとなのだ」（DME, 161）。

スーリオのもちいる別の独特な用語に、「アナフォラ（anaphore）」という語があるが、この語は修辞学において「頭語反復」――同じ語を複数の文の冒頭部で繰り返すこと――を指す。この反復のニュアンスもおそらく踏まえながら、スーリオは「アナフォラ」を語源的なしかたで、「上方へ（ana）送ること（phore）」、「上昇」として理解する。この上昇という意味は、今日でも宗教的な文脈でつかわれる用法だが――スーリオは芸術における宗教性を否定しない――、かれはこれを未完成のもの、成就されていないものを、完成、達成、成就へと導くプロセスを指す用語としていっそう広くもちいており、『美学語彙集』にもこの用法がスーリオの名とともに記載されている。こうしたアナフォラの過程は創建をともなう以上、反復であるのはいうまでもないが、さらにくわえて、この過程にはあらかじめ定められた終着地点や、完成形のイメージが存在しない。アナフォラは向かうべきゴールなしに進みながら、その歩みのなかで、その歩みとともにゴールそのものを形成してゆく内在的な運動なのである。それは「計画（projet）」なき「行路（trajet）」ともいわれ、真夜中の山歩きにも譬えられる。「手探りで暗闇のなかを懸命に進むさまは、ちょうど夜の登山者のようで、おのれの足がいつ深淵に吸いこまれてゆくかもわからぬまま、ゆっくり登攀しつづけることだけを頼りに頂上まで進んでゆくのだ」（DME, 205）。——作品を創建するかぎりにおいて、芸術においても、哲学においても、生においても、事情は変わらない。

同時に注意しておくべきは、スーリオが重視するのは、あくまで作品であって、作者ではないという点だろう。たとえばマラルメやヴァレリーにおいてほぼ完成したかたちで見られるこうした作品の自律性は、人間中心主義を解除しようとする二十世紀後半以降の思想へと連なってゆくものであり、近年におけるスーリオ再評価の背景にもこの論点があるはずだ。かれいわく、「作品による行為や、観念の大域的な運動があるのであって、人間の行為や運動があるのではない」（IP, 39）。『諸芸術の照応』における諸芸術の「感覚的なクオリア」の分類を借りるなら、「線」（アラベスク、デッサン）、「ヴォリューム」（建築、彫刻）、「色彩」（純粋／具象絵画）、「光」（映画、写真）、「運動」（ダンス、パントマイム）、「分節音」（韻律、文学・詩）、「楽音」（音楽）が動き活動するのであって、[12] 哲学においては「観念」が動くのである。「哲学者は観念によって考え、音楽家は音によって考える」（IP, 33）。

芸術家も、哲学者も、なんらかの内面を表出するというよりは、みずからが取り組む作品から呼びかけられ、呼びこまれることで、いまはまだ未完成の作品の側に立とうとするものだ。作者の自我よりむしろ、つくられる作品の声に耳を傾け、その聞こえない声を聞き届けなければならない。『魂をもつこと』でいわれるように「重要なのは、（このいいかたが不条理なものに見えないとするなら）事物の視点とでも呼ぶべきものを見つけることであって、その視点においては、われわれの主観的で運まかせの個人的な視点からは独立に、事物の真理があらわれるのだ」（AA, 24）。「かくなる建築的構成がつくりだされることは、個人の心だけの問題ではなく、事物に内在する魂を探すという問題でもありうるだろう（部屋、風景、郷土遺産のうちなる魂――それらに宿り、それらがわれわれにほのめかす音楽）」（AA,133）。

では、作品や事物の声を聞き、創建をつうじて向かう「完成」や「成就」とはいったいどのようなものなのか。まず確認しておくべきは、スーリオは基本的に「フォルム」を讃える哲学者だという点であり、『美学の未来』においては、「《美学》とはフォルムの学である」と明言する[13]。逆にいうなら、フォルムをまとうことのない曖昧模糊とした暗闇や深層（bathos）を賞揚することはなく、それは本書のラプジャードの言葉によるなら、「偽りの豊饒さへの嗜好」を煽り立てるものにほかならない。そうではなくスーリオが「創建」の過程をとおして問うのは、いまはまだ未完成のもの、未来のありかたすら見えていないものから出発して、いかにして「フォルム」がかたちづくられ、あるしかたでの実存が現実のものとなるのか、ということである。

「潜在性（virtualité）」、「潜在的なもの（virtuel）」ないし「潜在的リアリティ（réalité virtuelle）」と呼ばれるのは、フォルムにたどりつくまえの――あるいは一度もたどりつかないかもしれない――未完成のもののことである。より正確にいうなら、たんに想像のなかや思考のなかだけでなく、リアルに未完成のものとして規定されているものである（たとえば壊れかけの橋、砂のうえに残された痕跡、おもいだせない記憶）。それは、やがて別の実存様式（橋の決定的な崩落、痕跡から復元される事態の全体像、記憶の想起）へとかたちを変えるであろうもの、その気配を漂わせているもの、ただしじっさいに想像どおりに／考えたとおりに変化するとはかぎらないものである（DME, 136-138）。潜在的なものがある具体的なフォルムをもつものとして実存するに到るなら、もとの潜在的なものは消え去るだろう（記憶を想起するとき、おもいだせないという状態はキャンセルされる）。ある具体的な実存を獲得するということは、潜在的なものが指し示すさまざまな未来のなかから、特定のものだけを選びとり、あとは捨て去るということだ。潜在性が示す選択肢をすべて残しておくということは、なにも実現されないということである。「実存するとは、すでに述べたように、ある実存様式を果敢に決然と選び、選別し、その肩をもつことである」（DME,175）。実存するとは、あるしかたで実存することにほかならない。ただしこのあらたに誕生した実存も、別の観点からすると未完成であるとするなら、現実化によって書き換えられたあらたなかたちの潜在的なものが、たえず出現し続けることになるだろう。

「潜在的なもの」は別の実存様式へと移行する際に、他者の介入を必要とする。つまり「他存性（abaliété）」を特徴とする潜在的なものは、他の実存たちと関係を結びながら、みずから別の様式へと変様してゆく。あるものに宿る潜在性を見いだし、開花させるには他者たちが必要なのだ。この潜在的なものが、たんなる未規定の暗闇ではないのは、いまだにフォルムをまとっていないアンフォルムな状態のありかたにも、さまざまあるからだろう。いわば、あるしかたの暗闇

〈潜在性〉であるよう規定されたものといってもいい。壊れた橋、残された痕跡、甦らない記憶、あるいはつくりかけの作品のそれぞれの段階が、それぞれ異なる未来を霧のなかにおぼろげに指し示すようなものだ。潜在性は画一的なものではなく、それを規定する「環境」、「関係が織りなす空間」、「他存性」におうじて、さまざまな様式をまとう。[14] スーリオには万物の母胎となりうる単数形の《潜在性》があるというよりむしろ、つねに具体的なものとともにローカルに形成される複数形の潜在的なものがある。だからこそ『魂をもつこと――潜在的リアリティについての試論』において、多くの小説的断片を引用（創作？）しながら――それにしてもきわめて風変わりなスタイルの哲学書である――、魂を取りまく具体的な諸情況を描こうとしたにちがいない。スーリオにおいては、つねに情況のなかにある潜在的なものたちの多元論があるのだ。「われわれは未知の潜在的なものたちがひそむ森のなかに生きている」（DME,137）。

このように「潜在的リアリティ」を主題にして一冊の本を書きつつも、スーリオはあくまでフォルムがつくられることを重視する。そしてフォルムによって支えられる「作品」が、「建築的構成（architectonie）」をもつことを、すぐれた作品の条件とするのである（IP,33; DME,109）。したがって作品における「線」や「色彩」や「光」や「運動」や「観念」は、時間的にも空間的にも、建築的に構成されていなければならない。このことと関連して、「哲学素（philosophème）」という語についても注意が必要であろう。「哲学素」とは、構造言語学の「音素」のような最小単位のことを指すのではなく、諸観念や諸事実を建築的に構成することで表現される「ミクロコスモス」のことを指している（IP, 12, 51）。哲学もふくめて、あらゆる「作品」は、スーリオにとって宇宙をつくりだすものであり、宇宙論的なものである。そしてこの「ミクロコスモス」が、それぞれ閉じた「モナド」のように、あるいは星のようにばらばらに散らばりながら、充溢せる世界（「プレーローマ plérôme」）を形成しているのが、「哲学」だとスーリオは考える。ある意味ではたしかに、ミクロコスモスが「哲学」＝「プレーローマ」の最小単位だといいうるが、しかしこの最小単位じたいもまた多数多様な要素から構築された複合体としてしかありえない。スーリオにおいて、あらゆる実存――哲学素もひとつの実存である――は、その内的構成においても、外部との関係においても多元的＝複数的であり、そうであってはじめて、単独＝特異でありうる。ジャン＝リュック・ナンシーの言葉を借りるなら、実存は複数的にして単独的なのである。

くわえて、「建築的構成」という語が想起させるような堅牢さ、堅固さにまどわされてはならない。ラプジャードが強調しているように、スーリオはエフェメラルな儚い実存もまた、堅固な実存と同じく、そのありかたにおいて完璧なものと見なしているからだ。「付記しておくなら、ある種の実存は、構築されるやいなやほとんどすぐさま壊れる一時的で短期的なものであり（とりわけ心の領域において）、そのことによって、脆弱な実存だという錯覚を容易に抱きがちだ。そのいっぽうで長期的で安定した実存には、いっそう高い次元が安易に賦与されがちである。勘ちがいもいいところだ」（DME,107）。スーリオにとってはたとえ一瞬で消え去るものであっても、強度をもつ実存には建築的構成が具わっているはずであり――瞬間的で「不朽のもの（モニュメント）」――、仮にそれがまだ見えていないとするなら、それを見いださなければならないということだ。

スーリオが、存在の「完成」と考えているのは、たとえば空間的に壮大なものになることでもなければ、長期間にわたって持続するものになることでもない。かれが重視するのは、あるひとつの存在が、じぶんだけの「特異なリアリティ（じぶんがなりうるほかのあらゆるものからじぶんを差異化するもの）」（IP, 10-11）をあらわにするモメントに到達することであって、このモメントを、かれは«patuité»（パテュイテ）と呼ぶ。フランス語ではほとんどもちいられないこの語は、«patent»（明瞭な、明白な、あきらかな）という形容詞から派生した名詞で、本書では「単独性（あきらかさ）」と訳した。スーリオは「その」存在者だけがもつ本質があきらかに示されるような瞬間、換言するなら、「此性」ないしは「このもの性」が顕著に開示される状態、という意味でもちいている[15]（くわえて、それぞれの実存の本質の完成度のことを、「強度intensité」と呼ぶ）。「アナフォラ」についても論ずる論文でのアガンベンの言葉を借りるなら、「それぞれの事物がそのように存在するままに存在していることがイデアなのだ。〔……〕それぞれの事物がじぶん自身と並んでみずからを表示したもの（para-deigma）にほかならない[16]」。たとえばスーリオの好む朝焼けや夕焼けの風景が、仮に「構築されるやいなやほとんどすぐさま壊れる」ものだとしても、その光景をいつまでも記憶されるような永遠的なすがたで浮かびあがらせみせるような、そんな瞬間があるとき訪れることがあるだろう、というわけである。たんに風景があるというだけでなく、時を超えるリアリティをともなってくっきりとその風景が浮かびあがる瞬間。感覚的なクオリアの運動が見事に結合され時の流れがふいにとまるような時間。惰性的な時の流れを矢のように横切る瞬間性の壮麗さを、スーリオは讃える。スーリオは、時間の連続性ではなく、切断の哲学者である。この切断を遂行するものが瞬間であって、瞬間とはいわば刃であり、もっというならその先端の切先なのだ。

どのようなものであれ完成したものは、単独性を帯びることで、ほかのものから隔てられ切り分けられる。そしてこの距離をとおして反響しあい、他なるものを呼びこむのだ。まず分離し離散したものがあり、それを踏まえたうえで比較、照応、交流があらわれるのが、スーリオ思想の常数である。『諸芸術の照応』でも同様の構造を踏襲している。「これら諸芸術を切り離す切断の性質を、精緻に把握しなければならない。諸芸術をそれぞれ孤立させる仕切りがあるのであって、それをとおして芸術相互の照応は確立されるのだ」[17]。『魂をもつこと』ではこの構造が、アプリオリな分離、アポステリオリな比較といわれる。「アプリオリなのは、それぞれのものが独自のしかたで実存しているということである。アポステリオリにのみ、さまざまな存在のしかたを比較し、それらをグループへと分類しうるようになる」(AA, 23)。また『哲学の創建』は哲学同士の関係として変奏される。「哲学の時間(この表現に意味があるとして)は、デカルト的時間のように断続的である。なぜならそれは諸瞬間からなるからだ」。「これら諸瞬間は精神史の壮大な広がりのなかでどれほど響鳴しあい、持続を貫いて無数の魂たちを集わせることだろう!」(IP, 60)。哲学同士、瞬間同士のあいだには予定調和はなく、緊張と緊張を保ちながらの距離をもった交流があるだけだ(論文「瞬間」[18])。

切断の主題とも通底する点だが、スーリオには多元論へのつよい嗜好が見いだされる。なかでも代表的なのが、本書で詳論される「実存的多元論」、すなわち、あらゆる実存を束ねる、たったひとつのありかたはなく、「実存様式」にはさまざまなものがあるとするテーゼであろう。たとえばスピノザにおける「穹窿の楔石」にあたる「実体の汎神論的な一体性」を減算するなら、「実存することは手のほどこしようもないようなしかたで、無数の種へと引き裂かれるだろう」とスーリオはいう（DME, 80）。「実存様式（mode d'existence）」は、スーリオにおいて「実存ジャンル（genre d'existence）」ともいわれ、「実存平面（plan d'existence）」も同じ意味でもちいられる。[19] スーリオにおける「実存」という語は、物体にも心にも、生命をもつものにも、もたないものにもつかわれるため——「実存」は「生存」と訳すこともできる——、実存様式は無機物もふくむ存在のありかた、動物や植物や菌類の生きかたや動きかた、周囲の環境とのかかわりかた、心の機微、人生のありよう、生（へ）の態度や姿勢を広く指すことができる。もちろんこうした様式は多岐にわたり、無数のジャンルと広範なニュアンスをふくむものである。「なぜなら夢の実存はひとつの実存であって、そのことは視覚上の実存や触覚上の実存、推論上の実存、信仰上の実存、所有物の実存、誤謬と死の実存についても変わらない」（AA, 21）。花崗岩としての、溶岩としての、水滴としての、煙としての、量子としての、花としての、蕾としての、鏡像としての、幽霊としての実存。フィクションのなかの作中人物としての、視点人物としての実存。[20] マルクス主義者、ニーチェ主義者、ロマン主義者としての実存。恋する者、浮気する者、嫉妬する者、嘘をつく者、思わせぶりな者、女性としてのジェンダー役割に苦しむ妻、妻は誤解していると誤解する夫、わが子を捨てる者、病む者、事故にあう者、恢復する者としての実存……。

『魂をもつこと』や『さまざまな実存様式』にあるように実存様式は、地理的、歴史的、社会的な多様性を見せるだろう。生きかた、実存のしかたを、いかなるしかたであれ網羅できようはずもない。スーリオは既存の様式をとらえることばかりでなく、あたらしい実存様式、生きかた、存在のしかた、ありようを、「作品」としてつくりだすこと、「創建」することを、哲学、芸術の課題のひとつとして挙げている。あらたな世界をつくりだすこと、それと相関して、あらたな生きかた、生存のありかたをつくりだすこと。諸芸術を比較しながらかれの美学が目標とするのは、窮極的には「生きることの芸術（art de vivre）」に資するという点である。「この生きることの芸術もまた、下絵にすぎない存在であるわれわれ自身を、あの頂点にまでもたらす芸術と作品ではないか[21]」。

スーリオがいうのは、先に見たようにそれぞれの実存様式に「アナフォラ」があり、「完成」があるということだ。したがって同じ実存様式であっても、完成度（強度）の違いがあることになり、たとえば一箇の作品の諸状態のあいだ、一人の人間の身体的な諸状態のあいだで強度は異なる。そしてかれは高い強度のもの、完成の頂点にあるものを讃えることになる。すなわち、実存および実存様式の特異性を示すようなしかたで、個々の実存が作品化される瞬間である。たとえば流れる雲にはその雲の完成を示すようなありかたが、蕾にはいわばその蕾性の完成を示すようなありかたがあり、夫婦にはその危機の絶頂が訪れる瞬間がありうる。

くわえて特徴的なのは、実存様式のあいだにはあらかじめ定められた原理にもとづくヒエラルキーがないことだろう（ただし、それぞれの具体的な「作品」において、特定の実存様式が「ヘゲモニー」をもつことはありうる[22]）。たとえば身体と魂は、西洋哲学史のなかでは魂のほうが優位にあるものとして位置づけられてきたが、スーリオはそれを否定する（DME, 167, 172）。この意味でスーリオは、近年の用語でいうなら「フラットな存在論」に近接するといってもよいかもしれない。この存在論を明確に定式化したブライアントは、『オブジェクトたちのデモクラシー』でつぎのように述べている。「あらゆる種類、あらゆるスケールのオブジェクトはすべて、平等な存在論的足場のうえに立っている。たとえば主体、集団、フィクション、テクノロジー、制度などは、クオーク、惑星、樹木、クマムシとまったく同じようにリアルなのである[23]」。

このフラットさが貫徹されるなら、人間の実存様式が特権化されることもなくなるはずだ。スーリオ以後の観点を遡及的に適用することが許されるとするなら、スーリオの存在論が下絵をほぼ完成させながら、しかしそれを実現させることがなかったのは、人間ならざるものの実存様式、たとえば動物、菌類、機械のありようを徹底的に探ることであり、さらには「人間」のカテゴリーから排除される人間のマイノリティ的なありようを見つめ、さらにはマイノリティを擁護し、その「肩をもつ」ような視点に立つことだといえるのかもしれない。視点はつねに倫理と政治の問題なのである。

ラプジャードが強調しているのは、このマイノリティ的なありようをめぐる政治でもあるはずだ。本書原題の«moindre»（よりちいさい、ささいな、たいしたことのない）という語は、«mineur»（マイナー）と同語源であり、それは減算という意味においてミニマル・アートとも通底しつつ、同時に、マイノリティともつながってゆく。リアリティを減算され摩滅させられた存在、剝奪され収奪された存在。それはラプジャードがすでに『プラグマティズムのフィクション』で、資本主義下での実存のありようをめぐる問いとしてあつかっていた問題である。「問われているのは個々人の信頼を裏切ることではなく、個々人から生きる力を奪うことなのだ。資本主義とは、たんに普遍的な詐欺や騙されやすい人たちの世界ではなく、際限なき負債であり、ゾンビたちの世界である。〔……〕ヘンリー・ジェイムズにおける資本主義のもっとも一般的な形態は、生を剝奪する間接的な試みとしてあらわれる。吸血、催眠術、交霊術。それは生を衰弱させ、その力を奪い破壊する目に見えない秘密の術策なのだ[24]」。

くわえてラプジャードの読解の際立つ独創性は、スーリオにおける「実存への権利」と作品に内在する「証人」、「証言」の問題を抽出したことにあるだろう。[25]『ドゥルーズ――常軌を逸脱する運動』でも全篇にわたって「権利」と「根拠」をめぐる問題が論じられ、「証人」、「弁護士」、「共同戦線」がとりわけ第九章で重要な主題となっていたことが想起される。[26]本書においてもかれの指摘のあとでスーリオを読み直すなら、この問題がさまざまな箇所――たとえば『哲学の創建』で「視点」を論じる箇所において（IP, 238 sq.）――にあるのがわかるはずだ。ラプジャードがふれていない『諸芸術の照応』においても同様である。諸芸術への分割は芸術ジャンルを超えて、「個別的なもの、すなわち作品の特異性にまで向かう。忘れないようにしておこう。この特異性じたいが芸術の使命を握る鍵のひとつであって、製作されるべきそれぞれの作品は、実存への固有の権利、真に個別的な権利を有しているのだ」。「芸術――芸術家たちによる芸術――は、そこ〔生きることの芸術〕においても、つねに参照すべきものとなるにちがいない。生きることの芸術にたいしてさえも、芸術家たちの芸術は一箇の証言を、あるいはさまざまな証言をもたらすのである[27]」。

ある特異な実存をめぐって、それが仮に一般的なありかたではないかもしれず、たったひとつしか事例のない実存様式だとしても、その実存の権利のために、その実存が有する強度の上昇のために、他者たちと連携しともに行動し、実存を支援する場をつくりだすこと。たとえば、想像もおよばぬほど苛酷な環境のなかでくずおれた実存＝生存を、その特異性をつくりなおすようなかたちで再建し、実存＝生存の強度を高めるような別の様式へと移行させること。ラプジャードが浮かびあがらせるのは、スーリオ主義がまというるこうした相貌である。おそらくスーリオの実存＝生存論は、ともすればスーリオ自身の意図に反するところまで、脱線させるほど興味深いものとなる。スーリオの関心は、実存とその様式の充全たる開花へと向かう。あらたな遊びかた、あらたな脱労働のありかた、あらたな倒れかた、あらたな痙攣のしかた。「いや。もう一秒。一秒だけ。この空虚を吸い込む間だけ。幸福を知る」[28]。——そして世界を織りなすあらたなしかた。

　ところで、スーリオはさまざまな著作で実存様式を列挙するが、言及される様式はそれぞれ異なっている。『諸芸術の照応』では、あくまで芸術作品の分析という観点から「芸術作品の実存分析」がなされ、つぎの四つの実存様式が区別される[29]。第一に「物質」（作品の物体性。たとえば振動する空気、キャンヴァスや絵の具）。第二に「現象」（作品の物体性を鑑賞者が経験することで現出する「感覚的なクオリア」。たとえば音や色）。第三に「事物」（個々の微細な物質とクオリアが、大域的な対象——たとえば交響曲や人の顔——として組織化されたもの。それと関連して、再現的＝表象的芸術 arts représentatifs——人物の肖像画——と、非再現的＝現前的芸術 arts présentatifs——音楽や純粋絵画——が区別され、現前的＝一次的、再現的＝二次的とされる）。第四に「超越」（作品によって表現される、物質やクオリアには還元しえない意味。スーリオはこれを宗教的なもの——生の高次の意味——として理解する）。

注目されるのは区分法が異なることばかりでなく、同じ用語をつかっていても、本書で語られる『さまざまな実存様式』とは定義が微妙に異なることだ（たとえば「事物」）。これもまた、実存様式のリストが決して閉じられたものではない証左だろう。個々の実存様式、芸術ジャンルじたいが、さまざまな視点から見られ、多元化しているといってもいいのかもしれない。芸術ジャンルの分類についても同様で、かれはいまだ確立されていないジャンルとして、「《皮膚》の美学」の可能性を示唆し、触感や肌理のさまざまな質——なめらかなもの、ごつごつしたもの、ざらざらしたもの、粒子状のもの、つめたいもの、なまぬるいもの……——を喚起し、それらを組みあわせた「触覚の音楽」について想像している。[30] すでに述べたように、スーリオはかれの同時代芸術にはほとんどふれないが、そのいっぽうでかれの芸術論が、現代芸術とまったく無縁だというわけでもない。とりわけ現前的芸術や作品の物質性、作品の多元的な組織化などとの関連においてその点は顕著だろう。

いっぽう、『さまざまな実存様式』では、区別されるさまざまな実存ジャンルないし実存平面が、「実存の文法」とも呼ばれる（DME, 154, 161-162）。本書においては出来事の「動詞性」が論じられているが、スーリオによる実存の文法のカテゴリーにはぜんぶで四種類ある。その区分は「現象」、「事物」、「フィクション」、「潜在的なもの」という区分と完全に対応するわけではなく、やや異なる分類基準を採用している。

第一に「純粋形容詞」があり、これは「現象」に対応する。「純粋」といわれるのは、「実詞の秩序全体から切り離され自律的なものとなる」からであり、あらゆる実体的なものから離脱した瞬間的な質（クオリア）のあらわれだからである。

第二の「実詞」は、「存在的なもの（l'ontique）」に対応する。それは「組織化された全体」で、「恒久性」をもつ「もの」全般のことであり、「心」と「物」を両方ふくむ意味での「事物」である。『諸芸術の照応』でもそうだが、スーリオが実詞（実体的なもの）よりも先に現象をもってきていること、同一性をめぐってヒュームを評価していることにも注意しておこう。

第三に「動詞」があって、「出来事」に対応する。出来事の世界は、「行動」とそれによって「なされたこと＝事実（fait）」のみからなる。行為、切断、移行以外にはなにもないこの世界にたどりつくには、「自己自身と世界のもつ堅固で安定したあの存在的なもののすべてを犠牲にしなければならないだろう（おそるべき甚大な犠牲）」。これは「めまい」をともなうようなしかたで、「われわれの日常世界が破砕され霧散するおそろしい転覆」となるはずである（DME, 157-158）。スピノザの実体にかんしてもそうだが、スーリオには、ある範疇そのもののまるごとの減算と、それによる変様の実験プロセスが見られるのも特徴である。

第四に「接続詞、前置詞、冠詞など」に対応する、「接合的なもの（le synaptique）」がある。ちなみに、『トレゾール』仏語辞典には脳科学関連として一九三五年の用例が記載されており、一八九七年のシェリントンによる用例がその語源とされている（『オックスフォード英語辞典』に記載されている最初の用例は一八九九年）。「接合的なもの」は、「存在的なもの」に対立する「関係」の世界をあらわすものである。換言するなら、「関係項」と「関係」を区別しているといってもよい。スーリオはそれを「静」と「動」の区別ともしている（DME,180）。

　したがって、この「関係」においては、静止したもの同士の関係というより、時間や切断をはらむ関係、より具体的にいうなら実存の強度を変えたり、あるいは実存様式を変えるような「移行」や「推移」、変身や融合や生成変化が重視されている。そしてスーリオは、「存在的なもの」と「接合的なもの」との対立をもとにして、「接合的なもの」（第四）のうちに出来事（第三）を包摂してゆく。「因果的であったり、時間的であったり、空間的であったりする接合子によって結合される出来事たちのプレーローマ」（DME,180）。スーリオにおいて肝腎なのは、推移、移行、生成変化じたいに、別個の実存様式としての十全なリアリティを認めていることだ。「相互に比較されるふたつのジャンルが最終的にまったくもってリアルなものとして現出しうるとするなら、移行の段階、推移による結合も同じくリアルであって、それをあらわすのが実存の強度の肯定的な経験なのだ」（DME,98）。

　こうしたリアリティ概念によるなら、スーリオにおいて「狭間世界（intermonde）」の主題——現象学よりむしろクレーに近いようにおもわれる——が見いだされることは不思議ではあるまい。実存様式のあいだでの移行とともに、そのかたわらで、ひとつの世界から別の世界への、ある形成体から別の形成体への「移行」の問題が提起されるからだ。「かくして来るべき出来事は召喚され捕獲され、ついで解き放たれると、過去へと送りこまれる。そうするのは「そしてつぎに（et puis）」や「そしてそうだとするなら（et alors）」といった変わらぬ形式なのだが、その本質は瞬間のなかにあるのではなく、狭間世界にあること、立ち去る瞬間と到来する瞬間のあいだにあることなのである」(DME,155)。「この観点からすると、哲学するとは一箇の哲学を形成することよりむしろ、それを捨て去ることであり、別の哲学へと赴くことなのである。各々の哲学が一箇の世界だとするなら、真の哲学はさまざまな狭間世界のなかにあるにちがいない――すなわち、ひとつの哲学から別の哲学への推移のなかにあるはずなのだ」(IP, 46)。

スーリオの哲学が創建の哲学だとするなら、虚構的なもの、ユートピア的なものをふくめて、あらたな世界を創建するばかりでなく、ある世界から別の世界への「移行」そのものを創建し――ということは過去の移行を「反復」し、結合させ、別の文脈に挿しこみ――、そのリアリティを高めなければならないことになるだろう。あらたな生きかたの問題、来るべき世界の問題とともに、特定の情況下での移行のしかたの問題もたえず未完成のまま、解答のあたえられない潜在的な問いであり続けるのである。そして移行にこそ、創建をめぐる真の哲学的な問題があるとかれはいう。暗闇のなかで登攀するような移行をとおして、たどりつくべき作品のイメージが形成されてゆき、そして逆に、作品のイメージが形成されてゆくとともに移行の道筋が想像のなかであれつくられてゆく、そして、そうしたイメージのさらに外で、潜在的リアリティがふいに駆動しはじめることもあるかもしれない。

想像可能なあらゆる方向への移行すべてを望むなら、どんな移行も決して実現されず、結果として停滞が現実化されることになるだろう。守銭奴の商人がたえまなく動く流れと戯れているようでいて、あらゆるものと交換しうる貨幣（決して実現されることのない交換能力という可能態）に執着し続けるように。移行においても、それを実現させたければ、特定の移行を選択しなければならない（というより移行が起こるときは、事実として特定の移行が選択されている）。また停滞、静止を実現したければ、特定の停滞様式、静止様式を選択しなければならないはずだ。さらには、いかなるしかたで、複数の運動と静止が複合されるのか（DME, 174-175）。

あらゆる実存が未完成であるように、あらゆる移行も未完成である。そしてどのような実存が現実化されたとしても、それぞれの情況には潜在的なものが貼りついている。スーリオの好む譬喩によるなら、芸術の、哲学の、人生の「スフィンクス」（潜在的なもの）は問いかけることをやめない。しかし問いを受け取る側は、いかなる謎を投げかけられているのかすら判然とせず、また解決がそもそもありうるのかもわからず、どちらに向かえばよいのかもわからず、いつ失敗するかもわからないという状態に陥りうる。それでも問いかけることをやめないのがスフィンクスなのである。「答えよ、さもなくばおまえを食い殺す。こうスフィンクスはいう。答えよ、さもなくばおまえの潜在性がどれほどおおきくとも、おまえは終わりだ。しかもスフィンクスは、合言葉があるかどうか定かでないときほど、いっそう陽気に謎かけをしてくるのだ。そもそもそうした合言葉、つまり可能な解決策があるのかは、これからやってみないとまったくわからないというのに」（AA, 61. Cf. DME, 204-205）。なにが解くべき問題なのかがはっきりすることはしたがって、各自の立場や理論に先行する、きわめて重大な意味をもつだろう（AA,60）。解答ばかりでなく、問題にもまたフォルムが必要なのであり、しかもこのフォルムをあたえるのは解答でもあるのだ。この循環のなかは創建の解きほぐしがたい謎が眠っている。

スフィンクスとはいわば、いまはまだ萌芽状態——将来育つかどうかわからない状態——にある未来の哲学、芸術、生の異名だともいえるだろう。この陽気であるだけにいっそう不気味なスフィンクスが発する問いかけをまえにして、完成（上昇）とその破局（下降）のはざまにあるのが芸術家であり、哲学者であり、人間である。[31]「具体的な経験を取りまくもののなかにあって、ある任意の存在は、（ジョルダーノ・ブルーノのように語るとするなら）その実存の最小と最大のあいだの揺れうごきの途上にあるものとしてしか、決して把握されず経験されない。その実存がわれわれにほのめかされるのは、こうした揺れうごきの感情、すなわち先ほど私が語ったあの薄明かりやあの薄暗がりのなかでの光と暗闇の増大や減少の感情によってでしかないのだ。かつて実存が所有される財産であったことがあろうか。実存とはむしろ要求であり希望ではないだろうか」(DME,196)。こうした宙吊りのなかでの希望は、スーリオの生きた非安全と不安の時代に特徴的な思想的な表現ともいえるのかもしれない。二十世紀前半に思想形成し、その時代にとどまり続けたかれにアクチュアリティがあるとするなら、それはわれわれはまだ移行を決して成し遂げていないという徴候なのだろうか。それとも、一群の移行がすでに実現されたという徴候なのだろうか。あるいは、あたらしい実存様式が誕生しつつあるのだろうか。

（1）スーリオをめぐる伝記的情報は、主につぎの論文によるものである。Filippo Domenicali, Fabien Le Tinnier, « Étienne Souriau : Fragments pour une biographie », in *Nouvelle revue d'esthétique*, 2017/1, n°19.

（2）Étienne Souriau, « 1913 : la conjoncture » (1971), in *Le Sacre du printemps de Nijinsky*, Cicero, 1990, pp. 7-14.

（3）Martial Gueroult, « La Voie de l'objectivité esthétique. M. E. Souriau : la compréhension interne par l'ascension instaurative aboutissant à l'œuvre », in *Mélanges d'esthétique et de science de l'art offerts à Étienne Souriau, professeur à la Sorbonne, par ses collègues, ses amis, et ses disciples*, Nizet, 1952, p. 124. ゲルーは、スーリオが芸術と哲学の特権的な関係をつくっていることを批判し、むしろ科学と哲学の関係を強調する。ドゥルーズとガタリが『哲学とは何か』で出したのは、哲学、科学、芸術の三つ巴であったことが想起されるだろう。

（4）Charles Lalo, « Avant-propos », in *Mélanges d'esthétique et de science de l'art offerts à Étienne Souriau, op. cit.*, p. 19.

（5）Étienne Souriau, *L'Avenir de l'esthétique. Essai sur l'objet d'une science naissante*, Alcan, 1929.

（6）*Mélanges d'esthétique et de science de l'art offerts à Étienne Souriau, professeur à la Sorbonne, par ses collègues, ses amis, et ses disciples*, Nizet, 1952.

（7）Vincent Descombes, *Le Même et l'autre. Quarante-cinq ans de philosophie française (1933-1978)*, Minuit, 1979, p. 32 note 17.〔ヴァンサン・デコンブ『知の最前線——現代フランスの哲学』高橋允昭訳、TBSブリタニカ、一九八三年、二八〇頁、注一七〕。

（8）DMEと略記されている再刊版『さまざまな実存様式』（Étienne Souriau, *Les Différents modes d'existence suivi de Du mode d'existence de l'œuvre à faire*, PUF, 2009）は、スタンジェールとラトゥールによる序文「作品のスフィンクス」（pp. 1-75）、一九四三年刊行のスーリオ『さまざまな実存様式』本文（pp. 77-193）、一九五六年のスーリオの論文「製作されるべき作品の実存様式」（pp. 195-217）からなる。

（9）『美学語彙集』（*Vocabulaire d'esthétique*, PUF, 1990）は、フランスの美学者たちが一九三〇年代初頭以来、長年にわたって企画しつくりあげたものであり、スーリオの娘アンヌが「エティエンヌ・スーリオ」の名を冠して一九九〇年に刊行した。

(10)春木有亮『実在のノスタルジー――スーリオ美学の根本問題』行路社、二〇一〇年、九－一三頁。同書は、スーリオにかんして日本語で読める唯一のモノグラフィとして貴重である。

(11)David Lapoujade, « Étienne Souriau. Une philosophie des existences moindres », in Didier Debaise (éd.), *Philosophie des possessions*, Les Presses du réel, 2011.

(12)Étienne Souriau, *La Correspondance des arts. Éléments d'esthétique comparée*, Flammarion, 1947, p. 97. ラプジャードは同書に一度も言及していないが、『諸芸術の照応』――ボードレール的な書名――は、美学の領域におけるスーリオのもっとも有名な著作のひとつである。

(13)Souriau, *L'Avenir de l'esthétique, op. cit.*, p. 9.

(14)Renaud-Selim Sanli, « L'Abaliété et le problème de la connaissance du singulier. Les Procédés romanesques » in *Nouvelle revue d'esthétique*, 2017/1, n°19, p. 44.

(15)スーリオにおける« patuité »について、cf. Dominique Chateau, « Étienne Souriau. Une ontologie singulière », in *Nouvelle revue d'esthétique*, 2017/1, n°19, pp. 34-37.

(16)ジョルジョ・アガンベン『到来する共同体』上村忠男訳、月曜社、二〇一二年、一三三頁。「アナフォラ」については、同書、一二二頁以下参照。アガンベンにおける単独＝特異性と見本、個体化とこのもの性、マネリエス（maneries）とパラディグマ（paradeigma）をめぐる思考を、スーリオと突き合わせてみることができるだろう。

(17)Souriau, *La Correspondance des arts, op. cit.*, p. 73.

(18)Étienne Souriau, « L'instant », in *Les Études philosophiques*, novembre 1928, n°2/3, p. 97. 同論文では、ベルクソンを意識しながら「持続」にたいして、デカルト的な「瞬間」を対置し、モナドロジーを導入しつつライプニッツ的な予定調和――アプリオリな調和――を断ち切り、調和のなかに緊張を導入する。

(19)スタンジェールとラトゥールは「実存様式」という語をめぐって、ジルベール・シモンドン『技術的オブジェの実存様式について』（一九五八年）への影響も指摘している。Cf. DME, 12 note 2.

(20)『諸芸術の照応』には、小説におけるいわゆる視点人物――ヘンリー・ジェイムズがその純化された形態をつくりあげた技法――について書かれた箇所がある。Souriau, *La Correspondance des arts*, *op. cit.*, p. 267.

(21) Souriau, *La Correspondance des arts*, *op. cit.*, p. 277.

(22)スーリオにとって各芸術は、どのクオリアが優勢であるかによって定義される。たとえば絵画においては、色彩が「ヘゲモニー」をもつとされる。Cf. Souriau, *La Correspondance des arts*, *op. cit.*, p. 54, 80.

(23) Levi R. Bryant, *The Democracy of Objects*, Open Humanities Press, 2011, p. 32.

(24) David Lapoujade, *Fictions du pragmatisme. William et Henry James*, Minuit, 2008, pp. 209-210.

(25)「証人」については本書で言及されるドゥルーズ、ガタリ『哲学とは何か』にくわえ、cf. Deleuze, *Francis Bacon. Logique de la sensation*, Seuil, 2002 [1e éd. 1981], pp. 73-80.〔ドゥルーズ『フランシス・ベーコン――感覚の論理学』宇野邦一訳、河出書房新社、二〇一六年、一〇二–一一四頁〕。

(26) Cf. David Lapoujade, *Deleuze, les mouvements aberrants*, Minuit, 2014, pp. 258-262, 281.〔ダヴィッド・ラプジャード『ドゥルーズ――常軌を逸脱する運動』堀千晶訳、河出書房新社、二〇一五年、三〇九–三一二、三四〇頁〕。

(27) Souriau, *La Correspondance des arts*, *op. cit.*, pp. 271, 277.

(28) Samuel Beckett, *Mal vu mal dit*, Minuit, 1981, p. 76.〔サミュエル・ベケット『見ちがい言いちがい』宇野邦一訳、書肆山田、一九九一年、八〇頁〕。

(29) Souriau, *La Correspondance des arts*, *op. cit.*, pp. 45-72.

(30) Souriau, *La Correspondance des arts*, *op. cit.*, pp. 76, 82.

(31)本書でのラプジャードは、この下降そのもの、カタストロフィそのものの強度――スーリオの用語をもちいるなら下降という実存様式のアナフォラ（上昇）――を問題にしている。二〇一四年のドゥルーズ論でも「下降」、「落下」が論じられていることを想起しておこう。Cf. Lapoujade, *Deleuze, les mouvements aberrants*, *op. cit.*, p. 281.〔ラプジャード『ドゥルーズ――常軌を逸脱する運動』前掲書、三四〇頁〕。「太陽に向けて昇ってゆくのではなく、無人の大地じたいに身を沈め横たわるのだ。あらゆる上昇は、落下と一体化する」。

ドゥルーズにおける「下降」、「落下」について、さらには落下のなかでのみ経験される「強度」について、cf. Deleuze, *Francis Bacon. Logique de la sensation*, *op. cit.*, pp. 78-79.〔ドゥルーズ『フランシス・ベーコン——感覚の論理学』宇野邦一訳、河出書房新社、二〇一六年、一一〇－一一二頁〕。

*

本書はDavid Lapoujade, *Les Existences moindres*, Minuit, 2017の全訳である。ベルクソンやメルロ＝ポンティのフランス語を思い浮かべていただければ感触だけは伝わるのではないかとおもうが、うまく日本語になってくれないスーリオの文を、どのように訳すかが、翻訳にあたってたえずおおきな問題となった。文の切りかたや意味の取りかたなど、すこしおもい切った訳しかたを採用した箇所があることをお断りしておきたい。訳稿作成の最終段階で、本書の英語訳David Lapoujade, *The Lesser Existences. Étienne Souriau, an Aesthetics for the Virtual*, trans. Erik Beranek, University of Minnesota Press, 2021が刊行され、参照できたことも記しておく。この企画のお声がけをしてくださったのは、編集者の阿部晴政氏である。ラプジャードの前著『ドゥルーズ——常軌を逸脱する運動』（河出書房新社、二〇一五年）の翻訳に続いて、作業を丁寧に見守り伴走してくださった阿部氏に厚く御礼申し上げます。

ダヴィッド・ラプジャード（David Lapoujade）
1964年生まれ。ドゥルーズの愛弟子。没後に刊行されたドゥルーズの『無人島 1953 － 1968』、『無人島 1969 － 1974』、『狂人の二つの体制 1975 － 1982』『狂人の二つの体制 1983 － 1995』、『ドゥルーズ　書簡とその他のテクスト』(共に河出書房新社）の編者をつとめる。
著書に、『ドゥルーズ　常軌を逸脱する運動』（河出書房新社、2015年）など

堀千晶（ほり・ちあき）
1981年生まれ。著書に、『ドゥルーズ　キーワード89』（共著、せりか書房、2008年／増補版2015年)、『ドゥルーズと革命の思想』(共著、以文社、2022年)。編著に、『ドゥルーズ　千の文学』(共編、せりか書房、2011年)。訳書に、ダヴィッド・ラプジャード『ドゥルーズ　常軌を逸脱する運動』(河出書房新社、2015年)、『ドゥルーズ　書簡とその他のテクスト』（共訳、河出書房新社、2016年)、ロベール・パンジェ『パッサカリア』（水声社、2021年）など

ちいさな生存(せいぞん)の美学(びがく)

著者　ダヴィッド・ラプジャード

訳者　堀千晶(ほりちあき)

二〇二二年四月三〇日　第一刷発行

発行者　神林豊

発行所　有限会社月曜社
〒一八二-〇〇〇六　東京都調布市西つつじヶ丘四-四七-三
電話〇三-三九三五-〇五一五（営業）〇四二-四八一-二五五七（編集）
ファクス〇四二-四八一-二五六一
http://getsuyosha.jp/

装幀　大友哲郎

印刷・製本　モリモト印刷株式会社

ISBN978-4-86503-134-8